【図解】

国際税務
超入門

第2版

税理士法人 山田&パートナーズ【監修】

加藤友彦【編著】

税務経理協会

はしがき

経済産業省が公表している「平成29年企業活動基本調査速報」によれば，平成28年度において，「海外子会社・関連会社を有する企業」は5,711社，「海外子会社・関連会社」は45,194社でした。平成21年度における，「海外子会社・関連会社を有する企業」は4,925社，「海外子会社・関連会社」は33,521社でしたから，海外に進出していく日本企業は増加傾向にあります。

日本企業による海外進出や海外との取引の増加に伴い，海外との取引に係る税務，いわゆる国際税務の分野もより複雑に広範囲なものになってきています。海外との取引を行う場合，国内取引とは異なる課税関係が生じることが多くありますから，税制改正を踏まえた国際税務に関する正確な知識が一層重要になってきています。

特に，近年では，各国企業の海外展開が進むことに伴う税務上の問題について世界各国で協調して取り組む動きが始まっております。具体的には，多国籍企業による国際的な租税回避に対する批判の高まりを受け，OECD（経済開発協力機構）は15項目のBEPS（Base Erosion and Profit Shifting：税源浸食と利益移転）行動計画を公表し，この15項目の行動計画に沿って，国際的な課税逃れの問題に対処するための議論が行われ，平成27年9月には「最終報告書」がとりまとめられました。日本を含むG20及び各国政府はこの行動計画を支持しており，平成27年度以降，このBEPS行動計画に対応するための税制改正が行われています。平成27年度税制改正において，「国境を越えた役務提供に対する消費税の課税の見直し」，「外国子会社配当益金不算入の見直し」，平成28年度税制改正において，「国外関連者との取引に係る課税の特例（移転価格税制）の見直し」，平成29年度税制改正において，「外国子会社合算税制の見直し」，平成30年度税制改正において，「恒久的施設関連規定の見直し」，「BEPS防止措置実施条約等の実施に係る国内法の整備」といった改正が行われました。今後も引き続き，BEPS行動計画に対応するための税制改正が行われることが想定されます。

このように世界各国が協調して税務の方向性を決めていく動きは今後も継続して行われていくと考えられますから，国際税務の方向性を知るためには日本だけでなく，国際的な動向も併せて確認していく必要があります。

本書では，国際税務の分野に初めて触れる方にも全体像を理解しやすいよう，幅広く国際税務の内容に触れるようにし，極力図解や平易な表現を用いるようにしています。また，企業の経理担当者や税務に携わっている実務家の方にも使いやすいよう，実務上よく問題となる点を事例形式で掲載しています。平成30年度の税制改正についても触れていますので，最新の国際税務の動向を知るための資料としてもお使いいただけると思います。

本書を通じて国際税務に関する知識を深めていただければ幸いです。

末筆になりましたが，本書の作成，発刊にあたり多大なご尽力を頂きました税務経理協会の吉冨智子様にこの場をお借りして深く御礼申し上げます。

平成30年11月

税理士法人　山田＆パートナーズ

税理士　加藤　友彦

な国際的二重課税の解消が，国際税務の役割の一つです。

また，課税の取扱いを定める税法は国によって異なりますので，国際的二重課税とは逆に，課税の空白が発生することもあります。例えば，日本法人が，法人税のない国に子会社を設立し，自社の利益を全て子会社に付け替えてしまった場合，日本側で何らかの措置が講じられなければ，この日本法人とその子会社には法人税がまったく課せられないことになります。このような課税の空白を意図的に利用した租税回避行為を防ぎ，国家間の課税権を適正に配分することも，国際税務の役割の一つです。

【課税の空白の例（A 国に移転した所得は，日本でも A 国でも課税されない）】

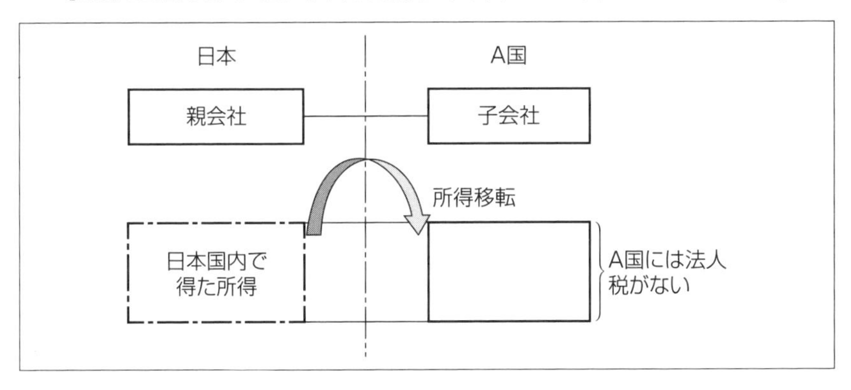

2. 国内法と租税条約

上記の国際的二重課税や課税の空白などの国際的な税務問題に対処するための規定は，所得税法や法人税法，租税特別措置法などの日本の国内法に定められています。同じように，諸外国でもその国の国内法によって国際税務に関する事項が規定されていますが，日本の国内法の取扱いと整合性が取れているとは限らないため，両国の国内法のみでは国際税務の問題が解決されないことがあります。それを補完するために存在しているのが租税条約です。租税条約は，二国間における租税に関する条約であり，わが国と条約相手国との間の取引等について課税の取扱いを定めています。なお，2018 年 5 月 18 日に租税条

はじめに

1．国際税務とは

「国際税務」とは，国際的な経済活動に対する課税の取扱いをいいます。

納税者の経済活動が国際的に行われる場合には，その国ごとに課税が行われます。各国の税制は，それぞれの国ごとに決められているため，その整合性が取れずに，課税が重くなりすぎたり，軽くなりすぎたりする事態が生じる可能性があります。それらを調整し，各国にとっても納税者にとっても合理的な課税を行うことが，国際税務の目的です。

例えば，日本法人が日本国内において経済活動を行って所得を得ると，法人税の課税対象になりますが，仮にその日本法人が，日本だけではなく外国においても経済活動を行って所得を得ると，日本の法人税に加えて，その経済活動を行った外国でも現地の法人税を課せられることがあります。これを「国際的二重課税」といいます。

【国際的二重課税の例（A 国内で得た所得は，日本とA 国の双方で課税される）】

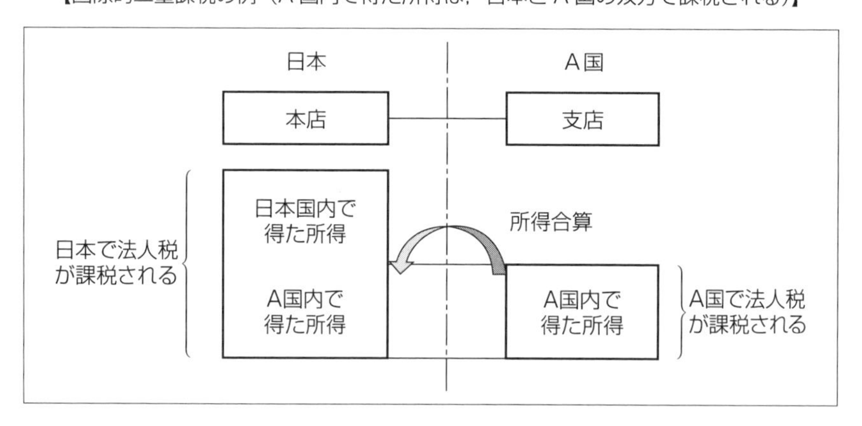

国際的二重課税をそのままにしておくと，国境を越えて経済活動を行う納税者の税負担が過大になり，その経済活動を阻害することになります。このよう

Q6　海外子会社から使用料を受け取る場合 ……… 142
Q7　海外子会社に使用料を支払う場合 ……… 144
Q8　海外子会社から配当を受け取る場合 ……… 146
Column　相続税・贈与税の納税義務者 ……… 148
Column　国境を越えた役務の提供に対する消費税の課税の見直し ……… 150

凡　例

本書では，解説の根拠となる法令・通達については，以下の略称を用いています。

1　略　記　例

法法23の2②二（法人税法第23条の2第2項第2号を示す）

2　略　　称

名称	本書での略称
所得税法	所法
法人税法	法法
法人税法施行令	法令
法人税基本通達	法基通
租税特別措置法	措法
租税特別措置法施行令	措令
租税特別措置法施行規則	措規
租税特別措置法関係通達	措通

3. 特定債券現先取引等の特例（措法66の5②）……114
4. 過大支払利子税制との優先適用順位（措法66の5④）……115

第8章　過大支払利子税制

第1節　制度の背景と概要……116
1. 創設の背景……116
2. 概要（措法66の5の2，66の5の3）……116
第2節　関連者等に対する純支払利子等……117
1. 関連者等の範囲（措法66の5の2②）……117
2. 関連者等に対する純支払利子等（措法66の5の2①）……119
第3節　損金不算入額の計算（措法66の5の2①）……122
1. 調整所得金額（措令39の13の2①）……122
2. 繰越損金不算入額（措法66の5の3）……122
第4節　適用除外（措法66の5の2④）……123
第5節　他の制度との適用関係……124
1. 過少資本税制との適用関係（措法66の5の2⑦）……124
2. 外国子会社合算税制との適用関係（措法66の5の2⑧）……124

第9章　海外子会社との取引における留意点

Q1　海外子会社の設立費用……127
Q2　役員・使用人を海外子会社に出向させている場合①
—日本親会社が給与較差分を負担する場合の留意点……129
Q3　役員・使用人を海外子会社に出向させている場合②
—日本親会社が出向者に対して給与を支払う場合の所得税の取扱い……132
Q4　海外子会社へ貸付をする場合……137
Q5　海外子会社から借入をする場合……140

第６節　外国子会社合算税制と外国税額控除 …… 83
第７節　外国関係会社から受け取る配当の益金不算入 …… 84

第６章　移転価格税制

第１節　制度の概要 …… 87
第２節　適用対象 …… 87
1．適用対象者（措法66の４①） …… 87
2．適用対象取引（措法66の４⑤） …… 87
第３節　国外関連者 …… 88
第４節　独立企業間価格 …… 90
第５節　国外関連者に対する寄附金の損金不算入制度との関係 …… 96
第６節　移転価格税制に係る文書化制度 …… 98
1．OECD移転価格ガイドラインの改訂 …… 98
2．３種類の文書 …… 99
3．実務における留意点 …… 106

第７章　過少資本税制

第１節　制度の概要 …… 108
1．概要（措法66の５） …… 108
2．適用要件 …… 108
第２節　国外支配株主等と資金供与者等 …… 109
1．国外支配株主等（措法66の５⑤一） …… 109
2．資金供与者等（措法66の５⑤二） …… 111
第３節　損金不算入額 …… 112
1．損金不算入額の算定（措令39の13） …… 112
2．類似法人における負債・資本比率の適用（措法66の５③） …… 114

2. 導入の背景 …… 54
第2節　制度の内容 …… 55
1. 適用対象（法令22の4） …… 55
2. 益金不算入額 …… 62
3. 外国源泉税の取扱い …… 63
4. 申告要件（法法23の2⑤⑥） …… 63

第5章　外国子会社合算税制（タックス・ヘイブン対策税制）

第1節　制度の概要 …… 65
第2節　適用対象 …… 65
1. 判定対象となる内国法人に係る外国法人が外国関係会社に該当すること …… 66
2. 内国法人が，外国関係会社の発行済株式等の10％以上を保有している，もしくは実質支配していること …… 68
第3節　外国関係会社の区分 …… 70
1. 特定外国関係会社（措法66の6②二） …… 70
2. 対象外国関係会社（措法66の6②三） …… 72
3. 部分対象外国関係会社 …… 78
第4節　課税対象金額 …… 78
1. 算定方法（措法66の6①，措法39の14①②，措法39の15） …… 78
2. 所得合算の時期 …… 80
第5節　部分合算課税制度 …… 80
1. 内容（措法66の6⑥） …… 80
2. 特定所得の金額 …… 81
3. 免除規定（措法66の6⑩） …… 83

第3節　租税条約の適用方法 32
1. 租税条約に関する届出書の提出義務 32
2. 特典制限条項（Limitation on Benefit: LOB） 34
3. 租税条約に関する届出書が未提出の場合 38
Column　トリーティーショッピング（条約漁り） 38
Column　日米租税条約の適用方法（米国側） 41

第3章　外国税額控除

第1節　制度の概要（法法69） 42
第2節　外国法人税の範囲 43
1.「外国税額控除の対象となる外国法人税」に含まれるもの（法令141①②） 43
2.「外国税額控除の対象となる外国法人税」に含まれないもの（法令141③） 44
第3節　外国税額控除の計算 45
1. 控除額 45
2. 控除対象外国法人税額（法令142の2） 45
3. 控除限度額 46
第4節　適用時期，外国法人税の換算 50
1. 外国税額控除の適用時期（法基通16-3-5） 50
2. 外国法人税の換算（法基通16-3-47） 52
第5節　申告要件 53

第4章　外国子会社配当益金不算入制度

第1節　制度の概要と背景 54
1. 概要（法法23の2） 54

目　次

はじめに……1
1．国際税務とは……1
2．国内法と租税条約……2

第1章　国際税務のあらまし

第1節　法人税の納税義務……4
第2節　内国法人に対する課税……4
第3節　外国法人に対する課税……5
1．恒久的施設（PE）（法法2十二の十九）……5
2．外国法人に対する課税方法……8
3．国内源泉所得の内容（法法138，所法161）……12
4．事例分析……18

第2章　租税条約

第1節　租税条約の概要……21
1．概要……21
2．意義……21
3．モデル租税条約……21
4．わが国の租税条約ネットワーク……22
5．租税条約の対象税目……24
6．租税条約の適用対象……24
第2節　租税条約の優位性……25
1．国内法と租税条約の関係……25
2．プリザベーション・クローズ……30
3．課税の取扱いについての検討順序……31

約の規定を置き換えるBEPS防止措置実施条約が日本の国会で承認されています。22ページをご参照下さい。

国際的な経済活動に対する課税の取扱いを検討する際には，常に国内法と租税条約をともに確認する必要があります。

【国際的な取引についての課税の取扱い】

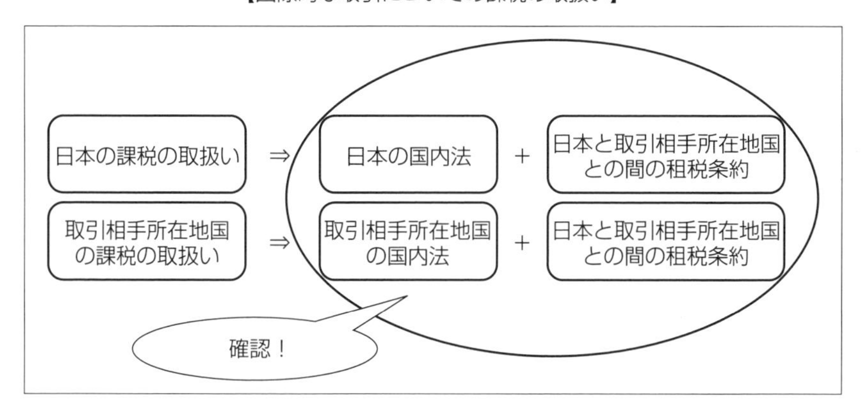

なお，本書は，主に法人の課税の取扱いに焦点を当てて解説を行います。

第1章

国際税務のあらまし

第1節　法人税の納税義務

日本国内に本店または主たる事務所がある法人を「内国法人」といい，内国法人以外の法人を「外国法人」といいます。外国資本の法人であっても，日本国内に本店があれば内国法人です。

内国法人は，所得が生じた場所に関らず，日本国内で生じた所得と日本国外で生じた所得の全ての所得に対して日本の法人税が課されます。

これに対して，外国法人は，日本国内で生じた所得である「国内源泉所得」に対してのみ日本の法人税が課されます。

【法人税の課税対象】

種類	内容
内国法人	全ての所得
外国法人	日本国内で生じた所得 「国内源泉所得」

第2節　内国法人に対する課税

内国法人は，所得が生じた場所が日本国内であるか日本国外であるかに関らず全ての所得に対して，日本の法人税が課されます。そのため，日本国外で生じた所得について，その所得が生じた外国においても課税が行われる場合には，その外国と日本とで二重課税が生じます。この二重課税については，後述する「外国税額控除」等により調整を行います。

【内国法人の課税範囲と二重課税】

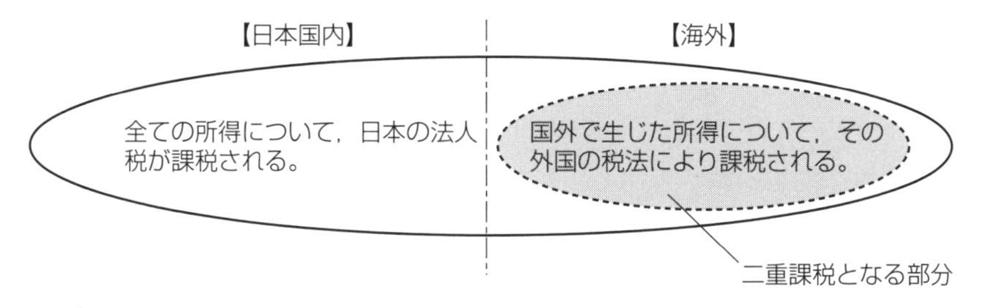

第３節　外国法人に対する課税

１．恒久的施設（PE）（法法２十二の十九）

外国法人は，国内源泉所得に対して，日本の法人税が課されますが，その外国法人が日本国内に「恒久的施設」を有するかどうかや，所得がPEに帰属するかどうかにより課税の方法が異なります。これは，有する「恒久的施設」が外国法人と日本との結びつきの強さを表しているという考え方によります。

恒久的施設とは，事業活動を行う一定の場所をいい，英語で「Permanent Establishment」と表記されることから，その頭文字を取って「PE」と呼ばれます。日本の法人税法では，PEは次の３つに区分されます。

⑴　支店，工場その他事業を行う一定の場所（支店PE）

外国法人の日本支店や，日本国内に設立した工場などが該当します。例えば，ホテルの一室であっても，それが事業活動の拠点となっていれば，PEに該当します。その一方で，広告や宣伝，市場調査などの補助的な活動を目的として設置され，営業活動を行っていない駐在員事務所や，単に商品を貯蔵するための倉庫は，PEに該当しません。

⑵ 建設，据付け等の作業またはこれら作業の指揮監督の役務提供を，1年を超えて行う場所（建設 PE）

日本国内において1年を超える期間にわたって建設作業などを行う場合には，日本との関わりが深いと考えられ，その作業場所が PE に該当します。

⑶ 自己のために契約を締結する権限のある者その他これに準ずる者（代理人 PE）

以下の①～③のいずれかに当てはまる者は PE に該当します。これは，日本に物理的な拠点を有していなくても，代理人を通じて事業を行うことが可能であるためです。ただし，以下の①～③に当てはまる者であっても外国法人から独立してその業務を行い，かつ，その業務を通常の方法により行う者（独立代理人）は，PE に該当しません。

①	常習代理人	外国法人のために，その事業に関し契約を締結する権限を持ち，その権限を常習的に行使する者
②	在庫保管代理人	外国法人のために，顧客の通常の要求に応ずる程度の数量の資産を保管し，その資産を顧客の要求に応じて引き渡す者
③	注文取得代理人	専らその外国法人のために，常習的に，その事業に関し契約を締結するための注文の取得，協議その他の行為のうち重要な部分を担当する者

※ 平成30年度税制改正（PE 定義の変更）

PE に該当することを人為的に回避する行為（PE 認定回避）を国際的に防止する動きがある中で，日本においても PE の定義が見直され，PE の範囲が国際的スタンダードに合わせて整備されることになりました。主な改正点は以下のとおりです。

種類	改正前の PE の定義	改正後	改正の理由
支店PE	・支店，出張所，事業所，事務所，工場，倉庫業者の倉庫，その他事業を行う一定の場所	・事業の管理を行う場所，支店，事務所，工場，作業場，その他事業を行う一定の場所 ・保管，展示，引渡し等を行うことを目的とした場所であっても，その機能が事業遂行上準備的・補助的な機能でない場合は PE に該当 ・上記の判定の結果，PE に該当しないとされた場所であっても，以下のイ～ハに該当するときは PE に該当	・準備的・補助的活動を実質的に判定するため ・契約を細分化することによる PE

	・ただし，保管，展示，引渡しなどの準備的・補助的活動のみを行う場所を除く	イ　非居住者等（※１）が「その場所」（上記の判定の結果，PE に該当しないとされた場所）以外の「他の場所」においても事業活動をし，「その場所」で行う活動と当該「他の場所」で行う活動が一体的な業務の一部として補完的な機能を果たす場合において，次の要件のいずれかに該当するときは，「その場所」は PE に該当する （イ）当該「他の場所」が当該非居住者等の PE に該当すること （ロ）「その場所」で行う活動と「他の場所」で行う活動の組み合わせによる活動全体がその非居住者等の事業の遂行にとって準備的または補助的な性格のものでないこと ロ　非居住者等およびその非居住者等と特殊の関係（※２）にある者が「その場所」（上記の判定の結果，非居住者等の PE に該当しないとされた場所）で事業活動をし，これらの者が行なう活動がこれらの者による一体的な業務の一部として補完的な機能を果たす場合において，次の要件のいずれかに該当するときは，「その場所」は PE に該当する （イ）「その場所」が当該特殊の関係にある者の PE に該当すること （ロ）これらの者が行う活動の組み合わせによる活動全体がその非居住者等の事業の遂行にとって準備的または補助的な性格のものでないこと ハ　非居住者等が「その場所」（上記の判定の結果，PE に該当しないとされた場所）で事業活動をし，かつその非居住者等と特殊の関係にある者が「他の場所」で事業活動をする場合においてこれらの者が行う活動がこれらの者による一体的な業務の一部として補完的な機能を果たし，次の要件のいずれかに該当するときは，「その場所」は PE に該当する （イ）当該「他の場所」が当該特殊の関係にある者の PE に該当すること （ロ）これらの者が行う活動の組み合わせによる活動全体がその非居住者等の事業の遂行にとって準備的または補助的な性格のものでないこと	認定回避に対応するため
建設PE	建設，据付け，組立て等，建設作業等のための役務提供を１年を超えて行う建設作業場	・建設，据付，これらの指揮監督の役務の提供で１年を超えて行われる長期建設工事現場等 ・PE 認定回避を主たる目的として，人為的に契約期間を分割した場合は，分割された期間を合計して１年超の判定を行う	契約期間を細分化することによる PE 認定回避に対応するため

代理人PE	イ　常習代理人 非居住者等のためにその事業に関し契約を締結する権限のある者で，その権限を継続的にまたは反復して行使する者	イ　常習代理人（改正後は契約締結代理人等という） 左記の範囲に，以下を追加 非居住者等の事業に関し反復して次の契約を締結し，または非居住者等によって重要な修正が行われることなく日常的に締結される次の契約のために反復して主要な役割を果たす者 （イ）　非居住者等の名において締結される契約 （ロ）　非居住者等の有する資産の販売等に関する契約 （ハ）　非居住者等による役務提供に関する契約	・販売委託契約（コミッショネア契約）によるPE認定回避に対応するため ・OECDモデル租税条約と平仄を合わせるため
	ロ　在庫保有代理人 非居住者等のために在庫商品を保有しその出入庫管理を代理で行う者	ロ　在庫保有代理人 規定を削除	・同上
	ハ　注文取得代理人 一の非居住者等のために継続的にまたは反復して注文の取得等をする者	ハ　注文取得代理人 規定を削除	
	・ただし，独立代理人（その事業に係る業務を，非居住者等に対して独立して行い，かつ，通常の方法により行う代理人等）に該当する場合を除く	・独立代理人の範囲から，専らまたは主として一または二以上の自己と特殊の関係にある者に代わって行動する者を除外	・関連企業等の指示に従って行動する独立代理人は，非居住者等に対して独立して業務を行っていることにはならないため

※１　非居住者または外国法人

※２　・一方の者が他方の法人の発行済株式総数の50％超を直接または間接に保有しまたは保有される関係その他の支配・被支配の関係

・二の法人が同一の者によってそれぞれ発行済株式総数の50％超を直接または間接に保有される関係その他の二の法人が同一の者に支配される関係

上記の改正は，平成31年1月1日以後開始の事業年度から適用されます。

2. 外国法人に対する課税方法

外国法人の課税対象となる国内源泉所得は，PE に帰属する所得（「PE 帰属所得」）と PE に帰属しない所得（「PE 非帰属所得」）に区分されます。「PE 帰属所得」とは，外国法人が PE を通じて事業を行う場合に，その PE を本店等から分離独立した企業と考えた場合に得られるべき所得をいいます。「PE 非帰属所得」とは，「PE 帰属所得」以外の国内源泉所得をいいます。「PE 非帰属所得」については，原則として所得税の源泉徴収のみで課税関係が終了します。これは，たとえば PE を有さずに投資所得等（配当等）だけを有する外国法人に，確定申告を行わせ納税させることは税務執行上難しく，課税漏れが生じやすいので，そのような事態を防ぐことを目的としています。ただし，PE 非帰属所得のうち，国内にある資産の運用または保管による所得，国内にある一定の資産の譲渡による所得については所得税の源泉徴収はなく法人税の確定申告が必要となります（一定の土地の譲渡は，源泉徴収の対象となります）。また，人的役務提供の対価，国内不動産等の賃貸料については所得税の源泉徴収が行われた上で法人税の確定申告が必要となります。また，PE を有している外国法人は，「PE 帰属所得」と「（法人税が課される）PE 非帰属所得」を区分して法人税の確定申告を行います。この際，「PE 帰属所得」と「PE 非帰属所得」はそれぞれ別々に所得計算が行われ，二つを損益通算することはできません。

【外国法人に対する法人税の課税標準】

種類	内容	損益通算
PE 帰属所得	PE を通じて行う事業から生ずる所得で PE に帰属する所得	各所得は損益通算不可
PE 非帰属所得	PE 帰属所得以外の国内源泉所得	

【外国法人に対する法人税・源泉所得税の課税関係】

外国法人の区分（法法141）／所得の種類（法法138，所法161）	PEを有する外国法人		PEを有しない外国法人（法法141二）	所得税の源泉徴収
	PE帰属所得（法法141一イ）	PE非帰属所得（法法141一ロ）		
事業所得（PE帰属所得）（法法138一，所法161四）	①PE帰属所得（所得種類が②～⑭に該当する場合にもPEに帰属する所得は①PE帰属所得となります。）			無(注1)
②国内にある資産の運用・保有（法法138二） ※下記⑦～⑭に該当するものを除く				無
③国内にある資産の譲渡（法法138三，所法161五）				無(注2)
④人的役務の提供事業の対価（法法138四，所法161六）				有
⑤国内不動産の賃貸等（法法138五，所法161七）				有
⑥その他の国内源泉所得（法法138六）				無
⑦債券利子等（所法161八）		【源泉徴収のみ】		有
⑧配当等（所法161九）				
⑨貸付金利子（所法161十）				
⑩使用料等（所法161十一）				
⑪事業の広告宣伝のための賞金（所法161十三）				
⑫生命保険契約に基づく年金等（所法161十四）				
⑬定期積金の給付補てん金等（所法161十五）				

⑭匿名組合契約に基づく利益の分配 （所法 161 十六）				

注１：事業所得のうち組合契約事業から生ずる利益の配分については，所得税の源泉徴収が行われる
注２：資産の譲渡による所得のうち，土地等，建物およびその付属設備等の譲渡による対価については，原則として所得税の源泉徴収が行われる

上記の表は左側に国内源泉所得（法法 138，所法 161）の種類を列挙し，表の上段に PE を有する外国法人の PE 帰属所得と PE 非帰属所得，PE を有しない外国法人を区分しています。表の網掛け部分は，法人税の課税対象を示しており，法人税の確定申告が必要となります。また，表の右側には，所得税の源泉徴収の有無を記載しています。このように外国法人は，PE の有無，その所得が PE に帰属するか否か，また所得の種類により，課税方法が異なってきます。

具体的には，課税の取扱いは以下の３パターンに区分されます。

① 所得税（復興特別所得税含む。以下同様）の源泉徴収，法人税の確定申告ともになし

② 所得税の源泉徴収の上，法人税の確定申告を行う（源泉徴収された所得税は法人税から控除する。控除しきれない場合は還付を受ける）

③ 所得税の源泉徴収のみで課税が終了

【課税の取扱いパターン】

区分	所得税の源泉徴収	法人税の確定申告	備考
①	無	無	国内源泉所得に該当しない，または租税条約等により免税となるもの
②	有	有	源泉徴収された所得は法人税から控除する。控除しきれない場合は還付を受ける
③	有	無	PE 非帰属所得のうち，配当，利子などの投資所得

3. 国内源泉所得の内容（法法138，所法161）

上記の表の国内源泉所得の内容について，詳しく見ていきます。

⑴ PE帰属所得

外国法人がPEを通じて事業を行う場合においてPEに帰せられるべき所得をいいます。具体的には外国法人のPEが当該外国法人の本店等から独立して事業を行う事業者であるとした場合に，PEが果たす機能，使用する資産，当該外国法人の本店等との間の内部取引などの状況を勘案した上で，PEに帰せられるべき所得をいいます。PE帰属所得の算定にあたり，PEと当該外国法人の本店等との内部取引は，独立した事業者間での取引価格（独立企業間価格，いわゆる時価）で行われたものとして取り扱われます。外国法人が行う事業の所得については，上記の表の通り，PEに帰属しない限り課税されないことになっています。このような取扱いは「PEなければ課税なし」といわれており，国際税務における事業所得に対する課税の基本とされています。また，PEを有する外国法人が以下の⑵から⒁までに該当する所得を有する場合において，その所得が外国法人のPEに帰属する所得である場合には，PE帰属所得として法人税の課税対象として，確定申告が必要となります。

⑵ 資産の運用または保有による所得

日本国内にある資産の運用・保有により生ずる所得をいいます。具体的には，次に掲げるような資産の運用または保有によって生じる所得が該当します。

① 日本国債，地方債，内国法人の発行する債券

② 居住者に対する非事業用貸付金

③ 生命保険契約等に基づく保険金の支払を受ける権利など（日本国内の営業所等を通じて契約を締結したものに限る）

外国法人がこれらの所得を有する場合は，PEの有無にかかわらず，原則として日本で法人税の確定申告をする必要があります。所得税の源泉徴収はありません。

⑶ 資産の譲渡による所得

次に掲げる資産の譲渡によって生じる所得が該当します。

①　日本国内にある不動産

②　日本国内にある不動産上の権利，鉱業権，採石権

③　日本国内にある山林（伐採による取得も含む）

④　内国法人の発行する株式で，買集めにより取得した株式等(※1)または事業譲渡類似株式等(※2)

⑤　不動産関連法人の株式等(※3)

⑥　日本国内にあるゴルフ場の株式等のうち一定のもの

⑦　日本国内にあるゴルフ場等の施設の利用権

※1　同一銘柄の内国法人の株式を買い集めをし，その所有者である地位を利用して，その内国法人等に対して譲渡をする場合の株式等

※2　発行済株式等の25％以上を保有する株主が，同一年度に発行済株式等の５％以上を譲渡した場合のその株式等

※3　発行済株式等の２％超（上場株式等の場合は５％超）を保有する株主が，総資産額の50％以上を国内にある不動産等が占める法人の株式等を譲渡した場合のその株式等

日本国内にPEを有する外国法人がこれらの所得を有する場合は，日本で法人税の確定申告をしなければなりません。また，資産の譲渡による所得のうち「日本国内にある土地・土地の上に存する権利または建物・附属設備・構築物の譲渡による対価」については，源泉徴収の対象となり支払者が10.21％の税率で所得税（復興特別所得税を含む。以下同じ）を源泉徴収する必要があります。ただし，日本国内の土地・土地の上に存する権利・家屋を自己またはその親族の居住用に譲り受けた個人から支払われるもので，対価が１億円以下の場合は，源泉徴収はありません。

⑷　人的役務提供事業の所得

日本国内において行う人的役務の提供事業の対価をいいます。具体的には，日本国内において行う次に掲げるような役務の提供を主な内容とする事業が該当します。

①　芸能人やスポーツ選手の役務の提供事業

②　自由職業者（弁護士，公認会計士など）の役務の提供事業

③　専門的知識・特別の技能を有する者の知識・技能を活用して行う役務の提供事業

例えば，外国人タレントを来日させてTV番組に出演させることで，外国の芸能プロダクションが日本の興行主から受け取る出演料などが挙げられます。外国法人がこれらの所得を有する場合は，20.42％の税率で所得税が源泉徴収され，その上で法人税の確定申告をしなければなりません。

(5)　不動産等の貸付けによる所得

日本国内にある不動産（不動産の上に存する権利を含む），居住者・内国法人に対する船舶・航空機の貸付けによって受け取る賃貸料が該当します。

【国内不動産の貸付けの場合】

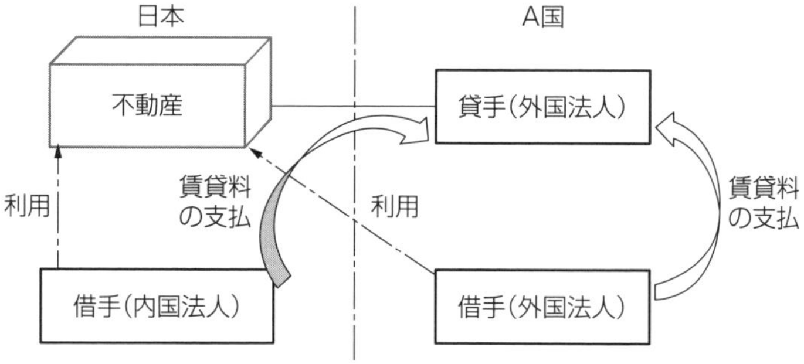

国内不動産の貸付けの場合は，借手が内国法人か外国法人かを問わず「不動産等の貸付による所得」に該当します。したがって，外国法人から受け取った不動産賃貸料であっても「不動産等の貸付による所得」に該当します。外国法人がこれらの所得を有する場合は，20.42％の税率で所得税が源泉徴収され，その上で法人税の確定申告をしなければなりません。

(6)　その他の国内源泉所得

その他の国内源泉所得として，法人税法施行令180条に定められている所得をいいます。具体的には，以下の所得が該当します。

①　日本国内で行う業務・日本国内にある資産に関連する保険金・損害賠償金等に関する所得

②　日本国内にある資産を贈与されたことによる所得

③　日本国内で発見された埋蔵物または日本国内で拾得された遺失物に関する所得

④　日本国内で行う懸賞募集に基づいて懸賞として受ける賞金に関する所得

⑤　その他の日本国内で行う業務・日本国内にある資産に関連する経済的利益（債務免除益・新株予約権の引受など）

外国法人がこれらの所得を有する場合は日本で法人税の確定申告をしなければなりません。所得税の源泉徴収はありません。

⑺　債券，預貯金等の利子等の所得

次に掲げるような利子等が該当します。

①　日本国債，地方債，内国法人の発行する社債の利子

②　外国法人の発行する債券の利子のうち，当該外国法人のPEを通じて行う事業に係るもの

③　国内にある営業所等に預け入れられた預貯金の利子

④　国内にある営業所等に信託された公社債投資信託等の収益の分配

【預金の利息の場合】

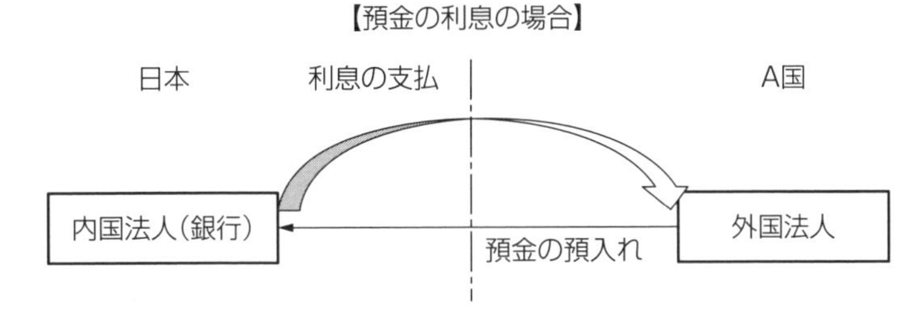

これら利子等は，PEに帰属しない限り法人税の対象とはならず，所得税の源泉徴収（15.315％）のみで課税が終了します。

⑻　配当等の所得

内国法人から受ける剰余金の配当，利益の配当，剰余金の分配等が該当します。

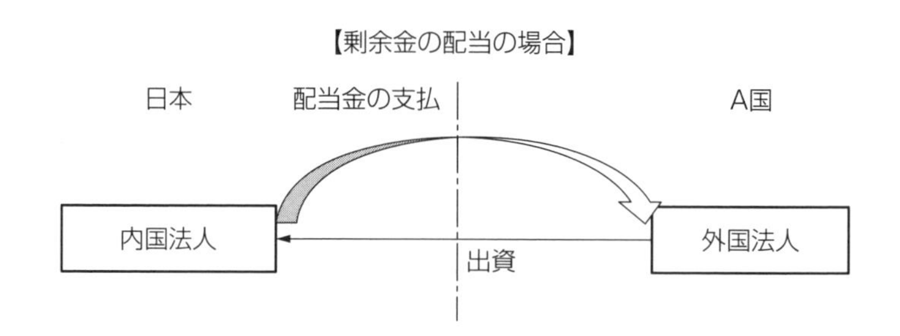

これら配当等は，PE に帰属しない限り法人税の対象とはならず，所得税の源泉徴収（20.42 %）のみで課税が終了します。

⑼ 貸付金利子等の所得

日本国内において業務を行う者に対し，その業務に使用される資金を貸し付けたことによって受け取る利子等が該当します。日本の所得税法では，資金が使用された場所が日本である場合に，この利子等を国内源泉所得とする考え方（使用地主義）を採用しています。なお，日本国内において業務を行う者に対する資産の譲渡または役務の提供の対価に係る債権（売掛金等）で，発生日から履行日までの期間が6月を超えないものは「貸付金利子等の所得」には含まれないこととなります。

これら貸付金利子等の所得は，PE に帰属しない限り法人税の対象とはならず，所得税の源泉徴収（20.42 %）のみで課税が終了します。

⑽ 使用料等の所得

日本国内において業務を行う者から受け取る次に掲げる使用料または対価で，その業務に係るものが該当します。

① 工業所有権その他の技術に関する権利，特別の技術による生産方式もしくはこれらに準ずるもの（工業所有権等）の使用料またはその譲渡の対価

② 著作権（出版権および著作隣接権その他これに準ずるものを含む）の使用料またはその譲渡の対価

③ 機械，装置，車両，運搬具，工具，器具および備品の使用料

※ ①の工業所有権等には，特許権，実用新案権，意匠権，商標権の工業所有

権とその実施権等のほか，ノウハウや機械設備の設計，デザインなどが該当します。ただし，技術の動向に関する情報や，機械装置の鑑定・性能検査などは含まれません。

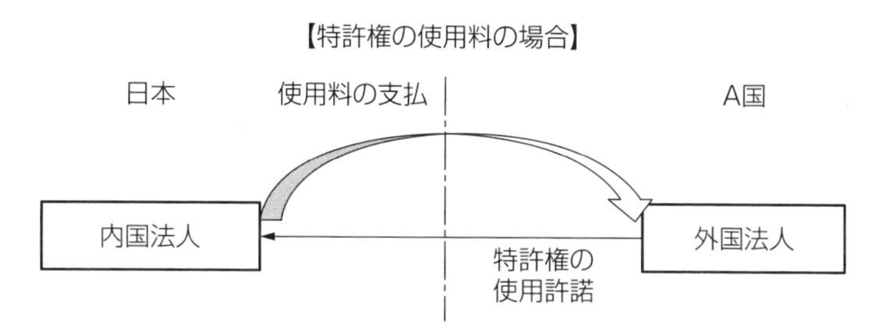

内国法人がＡ国に本店を有する外国法人より特許権の使用許諾を受け，使用料を支払った場合には，その内国法人が日本国内において行う業務の用に供されている部分が国内源泉所得となります（使用地主義）。

これら使用料等の所得は，PE に帰属しない限り法人税の対象とはならず，所得税の源泉徴収（20.42 %）のみで課税が終了します。

⑾　広告宣伝の賞金の所得

日本国内において行う事業の広告宣伝のための一定の賞金であり，具体的には，大売出しの抽選や素人のクイズ番組出演などに伴う賞金や賞品が該当します。原則としてその賞金等のうち 50 万円を超える部分について課税されます。これら賞金の所得は，PE に帰属しない限り法人税の対象とはならず，所得税の源泉徴収（20.42 %）のみで課税が終了します。

⑿　生命保険契約に基づく年金等の所得

日本国内の営業所においてまたは日本国内の生命保険会社との間で締結した生命保険契約や損害保険契約などに基づいて受け取る保険年金が該当します。原則として受け取った年金の額からそれに対応する支払保険料・掛金を差し引いた残額について課税されます。これら年金等の所得は，PE に帰属しない限り法人税の対象とはならず，所得税の源泉徴収（20.42 %）のみで課税が終了します。

⒀ 定期積金の給付補てん金等

定期積金に基づく給付補てん金（利息に相当する部分）や一時払い養老保険の差益などで，日本国内にある営業所で受け入れたもの，あるいは日本国内の営業所を通じて契約を締結したもの等が該当します。定期積金とは，契約者が一定の掛金を定期的に積み立てることで，金融機関が満期日に一定の金銭を支払うものをいいます。

これら給付補てん金等の所得は，PE に帰属しない限り法人税の対象とはならず，所得税の源泉徴収（15.315 %）のみで課税が終了します。

⒁ 匿名組合契約等に基づく利益分配の所得

日本国内の営業者に対する出資につき，匿名組合契約に基づいて受ける利益の分配が該当します。匿名組合契約とは，当事者の一方が相手方の営業のために出資を行い，その営業から生ずる利益の分配を約する契約です。組合員の名前が他の組合員に知られないため，匿名組合と呼ばれています。

これら利益分配の所得は，PE に帰属しない限り法人税の対象とはならず，所得税の源泉徴収（20.42 %）のみで課税が終了します。

4. 事例分析

【事例 1】
日本国内に支店を有する外国法人が，日本国内に所有するビルを内国法人に賃貸し，1,000 万円の賃貸料を収受する場合

日本国内にある支店は PE に該当します。また，日本の不動産賃貸料は国内源泉所得に該当します。したがって，この外国法人は，1,000 万円の賃貸料収入につき，20.42 %の税率で所得税の源泉徴収が行われ，1,000 万円× 20.42 % = 204.2 万円が差し引かれます。その後，法人税の課税所得を計算して確定申告を行いますが，法人税額が源泉徴収税額に満たない場合は還付を受けることになります。

【事例2】
日本国内に事業拠点を有しない外国法人が，内国法人から1,000万円の配当を受け取る場合

日本国内に事業拠点を有しない外国法人は，日本国内にPEを有しない外国法人に該当します。また，内国法人から受け取る配当は国内源泉所得に該当します。当該配当はPEに帰属しない国内源泉所得のため，日本で法人税の確定申告を行う必要はなく，20.42％（204.2万円）の所得税の源泉徴収のみで日本における課税が終了することになります。

（参考）外国法人に対する課税原則の変更

平成26年度税制改正において，法人税法の改正が行われ，外国法人に対する課税原則が，「総合主義」から「帰属主義」に変更されました（所得税法も同様）。「総合主義」は，外国法人が日本国内にPEを有する場合には，日本国内に源泉を有する全ての所得を内国法人と同様に課税する考え方です。これに対して「帰属主義」は，そのPEに帰属する所得（PE帰属所得）を内国法人と同様に課税する考え方です（なお，前述のとおり，PEに帰属しない国内源泉所得についても日本で課税される）。

日本にPEを有して事業を行う外国法人については，従来は国内源泉所得全てが法人税の課税の対象とされてきましたが，改正後は，PEに帰属する所得が法人税の課税の対象となりました。また，国内源泉所得のうち，PEに帰属しない所得（PE非帰属国内源泉所得）の一部についても法人税の課税の対象となりますが，PE帰属所得とは分離して把握されます。PE帰属所得とPE非帰属国内源泉所得とは損益通算することができません。

法人税については，平成28年4月1日以後に開始する事業年度から，帰属主義が適用されています。

【「総合主義」と「帰属主義」の違い】

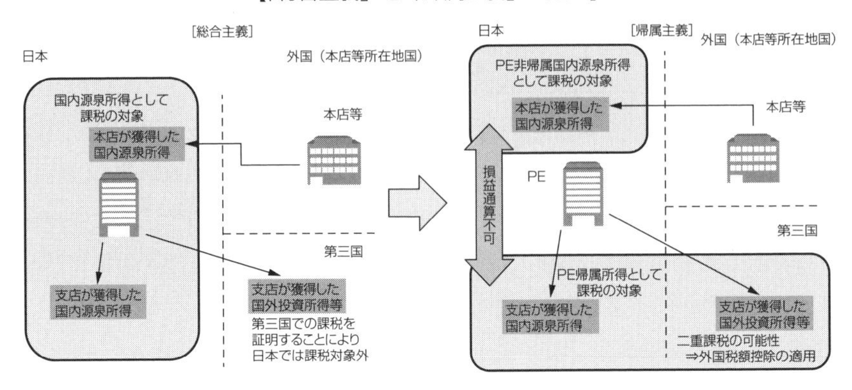

これまでに日本が締結した租税条約は帰属主義を採用していたため，従来は租税条約締結国との間では帰属主義，それ以外の租税条約非締結国（台湾，ミャンマーなど）との間では総合主義に基づく課税が行われていました。外国法人に対する課税原則を帰属主義に統一する今回の税制改正は，本店または主たる事務所の所在地が，租税条約締結国である外国法人と非締結国である外国法人の間で，課税の公平性を保つことや二重課税の排除などを目的としています。

改正後は，従来は認識していなかったPEと本店等との内部取引についても，原則として独立した第三者間における時価で取引したものとして損益を認識することになり，移転価格税制（第6章参照）と同様に，内部取引の根拠となる資料の作成が求められることとなりました。

第2章

租税条約

第1節　租税条約の概要

1．概要

前章において，国際税務に関する国内法の取扱いを確認しましたが，国境を越えて行われる取引について，取引当事者の国内法のみに基づいて課税を行うと，国際的二重課税や課税の空白といった問題が生じる可能性があります。そこで，わが国は，国内法だけでは対処しきれない部分を補完するため，租税条約という二国間条約を多くの国々と結んでいます。

したがって，国際取引に関する課税の取扱いの検討にあたっては，国内法だけでなく，租税条約を確認することが必要となります。本章では主に，租税条約の意義や優位性，適用方法について説明します。

2．意義

租税条約とは，国際的な投資交流の促進に寄与すべく，二国間で合意される租税に関する条約をいいます。租税条約は，国際的二重課税の排除，国際的な脱税・租税回避行為の防止，税務当局間の国際協力などを主な目的としています。

3．モデル租税条約

モデル租税条約とは，租税条約を締結する際にモデルとする租税条約の雛形であり，主なものとして，OECDモデル租税条約と国際連合モデル租税条約とがあります。

モデル租税条約名	内　容
OECDモデル	経済協力開発機構（OECD）の加盟国間で採用されており，先進国と先進国との間で条約が結ばれる場合に利用されます。
国際連合モデル	先進国と発展途上国との間で条約が結ばれる場合に利用され，発展途上国により大きな課税権を分配しています。

わが国が締結する租税条約は，概ねOECDモデル租税条約に沿った内容となっています。2004年（平成16年）に改正された日米租税条約を転機として，先進国との間では，二国間の投資交流を促す仕組みの租税条約が結ばれています。

4. わが国の租税条約ネットワーク

平成30年10月1日時点において，日本が租税条約を締結している国は126か国です。主要な取引相手国とはすでに租税条約を締結しています。

台湾との間には貿易交流がありつつも長らく租税条約が締結されていませんでしたが，2016年（平成28年）6月に「所得に対する租税に関する二重課税の回避及び脱税の防止のための公益財団法人交流協会と亜東関係協会との間の取決め」が発効されました。これは民間機関である公益財団法人交流協会（日本側）と亜東関係協会（台湾側）との間で作成された取決めであり，日本国が締結した国際約束（条約・協定等）とは異なりますが，租税条約と同様の内容の取決めとなっております（現在，両協会は，公益財団法人日本台湾交流協会（日本側）および台湾日本関係協会（台湾側）にそれぞれ改称されています）。

また，OECDが推進するBEPSプロジェクトにおいて掲げられている「行動計画15多数国間協定の策定」に基づき，BEPS防止措置実施条約（「Multilateral Convention to Implement Tax Treaty Related Measures to Prevent BEPS」。以下「MLI」という。）が日本を含む82か国・地域により署名されています（平成30年９月27日現在)。MLIは，BEPSプロジェクトにおいて策定された BEPS 防止措置のうち租税条約に関連する措置を，本条約の締約国間の既存の租税条約に導入することを目的としています。

なお，日本では，MLIは，2019年（平成31年）１月１日に発効します。

【我が国の租税条約ネットワーク】

《72条約等、126か国・地域適用／2018年10月1日現在》（注１）（注２）

欧州（42）
アイルランド　イギリス　イタリア　エストニア　オーストリア　オランダ　スイス　スウェーデン　スペイン　スロバキア　スロベニア　チェコ　デンマーク　ドイツ　ノルウェー　ハンガリー　フィンランド　フランス　ブルガリア　ベルギー　ポーランド　ポルトガル　ラトビア　リトアニア　ルーマニア　ルクセンブルク　ガーンジー（※）　ジャージー（※）　マン島（※）　リヒテンシュタイン（※） （執行共助条約のみ） アイスランド　アルバニア　アンドラ　キプロス　ギリシャ　グリーンランド　クロアチア　サンマリノ　ジブラルタル　フェロー諸島　モナコ
ロシア・NIS 諸国（12）
アゼルバイジャン　アルメニア　ウクライナ　ウズベキスタン　カザフスタン　キルギス　ジョージア　タジキスタン　トルクメニスタン　ベラルーシ　モルドバ　ロシア
北米・中南米（28）
アメリカ　カナダ　チリ　ブラジル　メキシコ　ケイマン諸島（※）　英領バージン諸島（※）　パナマ（※）　バハマ（※）　バミューダ（※） （執行共助条約のみ） アルゼンチン　アルバ　アンギラ　ウルグアイ　キュラソー　グアテマラ　グレナダ　コスタリカ　コロンビア　セントクリストファー・ネーヴィス　セントビンセント及びグレナディーン諸島　セントマーティン　セントルシア　ターコス・カイコス諸島　バルバトス　ベリーズ　ペルー　モンセラット
アジア・大洋州（24）
インド　インドネシア　オーストラリア　サモア（※）　シンガポール　スリランカ　タイ　ニュージーランド　パキスタン　バングラデシュ　フィジー　フィリピン　ブルネイ　ベトナム　マカオ（※）　マレーシア　韓国　香港　台湾（注３）　中国 （執行共助条約のみ） クック諸島　ナウル　ニウエ　マーシャル諸島
中東（9）
アラブ首長国連邦　イスラエル　オマーン　カタール　クウェート　サウジアラビア　トルコ （執行共助条約のみ） バーレーン　レバノン
アフリカ（11）
エジプト　南アフリカ　ザンビア （執行共助条約のみ） ウガンダ　ガーナ　カメルーン　セーシェル　セネガル　チュニジア　ナイジェリア　モーリシャス

（注１）税務行政執行共助条約が多数国間条約であること、及び、旧ソ連・旧チェコスロバキアとの条約が複数国へ承継されていることから、条約等の数と国・地域数が一致しない。

（注２）条約等の数及び国・地域数の内訳は以下のとおり。

・租税条約（二重課税の除去並びに脱税及び租税回避の防止を主たる内容とする条約）：59本、70か国・地域

・情報交換協定（租税に関する情報交換を主たる内容とする条約）：11本、11か国・地域（図中、(※）で表示）
・税務行政執行共助条約：締約国は我が国を除いて90か国。適用拡張により107か国・地域に適用。このうち我が国と二国間条約を締結していない国・地域は44か国・地域。
・日台民間租税取決め：1本、1地域

（注3）台湾については、公益財団法人交流協会（日本側）と亜東関係協会（台湾側）との間の民間租税取決め及びその内容を日本国内で実施するための法令によって、全体として租税条約に相当する枠組みを構築（現在、両協会は、公益財団法人日本台湾交流協会（日本側）及び台湾日本関係協会（台湾側）にそれぞれ改称されている。）。

（出所：財務省資料を一部改変）

5. 租税条約の対象税目

租税条約は，一般的に，所得に対する税（所得税や法人税）を対象としています。日米租税条約を例に挙げると，正式名称は「所得に対する租税に関する二重課税の回避及び脱税の防止のための日本国政府とアメリカ合衆国政府との間の条約」であり，第2条において対象税目は，日本の所得税，法人税および米国連邦所得税と定められています。また，日仏租税条約や日中租税条約においては，住民税もその対象であることが明記されています。

日本と米国との間には，「遺産，相続及び贈与に対する租税に関する二重課税の回避及び脱税の防止のための日本国とアメリカ合衆国との間の条約」（通称「日米相続税条約」）が締結されています。わが国が締結している租税条約のうち相続税や贈与税を対象とするものは，この日米相続税条約のみです。

租税条約の対象税目

基本的には，	所得税 法人税	が対象
条約によっては，	相続税 住民税	も対象

6. 租税条約の適用対象

租税条約の適用対象は，法人および個人です。租税条約上は，居住者と記載されていますが，この「居住者」には，個人のみならず，法人も含まれます。

第２節　租税条約の優位性

1．国内法と租税条約の関係

日本国憲法 98 条 2 項において，「日本国が締結した条約及び確立された国際法規は，これを誠実に遵守することを必要とする。」と定められていることから，租税条約は国内法に優先すると解されています。また，国内源泉所得に該当するか否かについては，個人は所得税法 162 条，法人は法人税法 139 条において，租税条約が国内法に優先する旨が明示されています。

(1)　租税条約による租税の減免

租税条約によって所得税の源泉徴収税率等が軽減・免除される場合があります。日米租税条約における利子・使用料の取扱いを例に挙げて説明します。

①　利　子

内国法人Ａが，米国法人Ｂより資金の借入を行い，その借入に対する利子を米国法人Ｂに支払う場合を例に説明します。借り入れた資金はＡの日本国内の事業に使用するものとします。

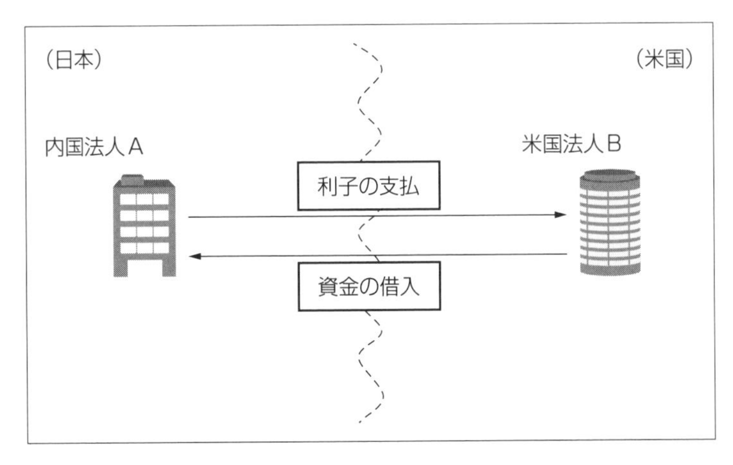

（イ）日本国内法の定め

内国法人Ａから米国法人Ｂへ利子を支払う場合には，日本において

20.42％（所得税と復興特別所得税の合計。以下同じ。）の税率で所得税の源泉徴収を行うこととされています。

（ロ）租税条約の定め

利子に係る源泉徴収税率は，日米租税条約11条2項において，10％を超えないものとされています。

【日米租税条約11条（利子）より一部抜粋】

1	一方の締約国内において生じ，他方の締約国の居住者に支払われる利子に対しては，当該他方の締約国において租税を課することができる。
2	1の利子に対しては，当該利子が生じた締約国においても，当該締約国の法令に従って租税を課することができる。その租税の額は，当該利子の受益者が他方の締約国の居住者である場合には，当該利子の額の10パーセントを超えないものとする。

（ハ）課税の取扱い

租税条約は，国内法に優先して適用されるため，当該利子については10％の税率で所得税が源泉徴収されることになります。

② **使用料**

内国法人Aが米国法人Bから著作権の使用許諾を受けて，その使用料を支払う場合を例に説明します。この著作権はAの日本国内の事業に使用するものとします。

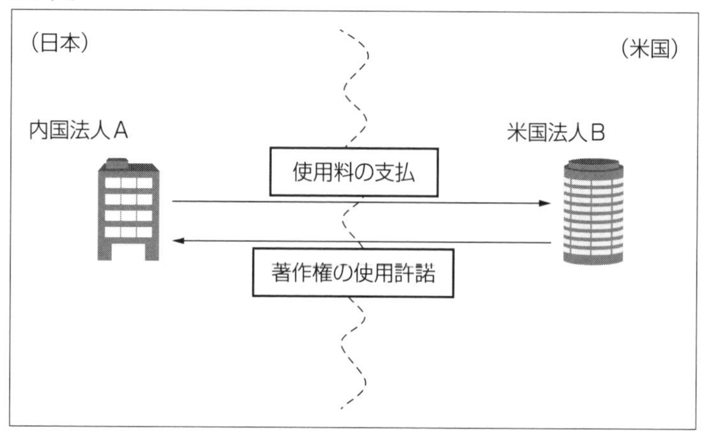

（イ）日本国内法の定め

内国法人Ａが米国法人Ｂから著作権の使用許諾を受けることに対して使用料を支払う場合には，日本において20.42％の税率で所得税の源泉徴収を行うこととされています。

（ロ）租税条約の定め

著作権の使用料については，日米租税条約12条１項において，受益者の居住地国においてのみ租税を課することができると規定されています。これは，内国法人Ａから米国法人Ｂに支払う使用料については，受益者であるＢの居地国である米国でのみ課税できることを意味しています。

【日米租税条約12条（使用料）より一部抜粋】

1	一方の締約国内において生じ，他方の締約国の居住者が受益者である使用料に対しては，当該他方の締約国においてのみ租税を課することができる。

（ハ）課税の取扱い

租税条約は国内法に優先して適用されることから，当該使用料に対する日本の所得税の源泉徴収は免税となります。

⑵　租税条約による国内源泉所得への置き換え

租税条約により，所得源泉地が置き換えられ，日本において新たに課税が生じるケースがあります。国内法に基づけば国内源泉所得に該当しない（課税の対象とならない）所得が，租税条約の定めによって国内源泉所得として取り扱われることにより生じます。

例えば，インド法人Ｂが内国法人Ａに対してソフトウェアの使用許諾を与え，内国法人ＡがインドＢに対して使用料を支払う場合を例に説明します（当該ソフトウェアは第三国の支店において使用するものとする）。

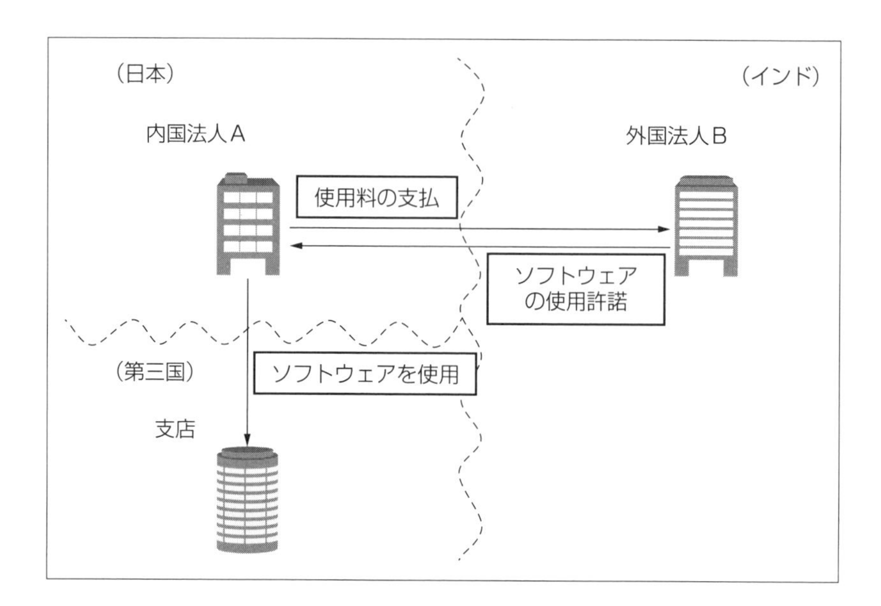

①　日本国内法の定め

ソフトウェアの使用許諾に対する使用料 ⇒ 使用地で課税

日本の国内法では，ソフトウェアの使用許諾に対する使用料は，それを実際に使用する場所に所得の源泉があるものとして課税することとされています（使用地主義）。この場合におけるソフトウェアの使用地は第三国であるため，日本での課税はありません。

②　日印租税条約の定め

ソフトウェアの使用許諾に対する使用料 ⇒ 支払者の所在地国で課税

日印租税条約12条6項においては，ソフトウェアの使用地ではなく，その使用料を支払う者の居住地国に所得の源泉があるものとされています（債務者主義）。この場合における支払者は内国法人Aであるため，日本に所得の源泉があるものとされます。

③　課税の取扱い

租税条約において所得がどこで生じたか（所得源泉地）について国内法と異なる定めがある場合には，租税条約の定めが優先されます。そのため，上記使

【日印租税条約 12 条（使用料及び技術上の役務に対する料金）より一部抜粋】

1	一方の締約国内において生じ，他方の締約国の居住者に支払われる使用料及び技術上の役務に対する料金に対しては，当該他方の締約国において租税を課することができる。
2	1 の使用料及び技術上の役務に対する料金に対しては，これらが生じた締約国においても，当該締約国の法令に従って租税を課することができる。その租税の額は，当該使用料又は技術上の役務に対する料金の受領者が当該使用料又は技術上の役務に対する料金の受益者である場合には，当該使用料又は技術上の役務に対する料金の額の 10 パーセントを超えないものとする。（平成 18 年条約第 6 号改正）
3	この条において，「使用料」とは，文学上，美術上若しくは学術上の著作物（映画フィルム及びラジオ放送用又はテレビジョン放送用のフィルム又はテープを含む。）の著作権，特許権，商標権，意匠，模型，図面，秘密方式若しくは秘密工程の使用若しくは使用の権利の対価として，産業上，商業上若しくは学術上の設備の使用若しくは使用の権利の対価として，又は産業上，商業上若しくは学術上の経験に関する情報の対価として受領するすべての種類の支払金をいう。
4	この条において，「技術上の役務に対する料金」とは，技術者その他の人員によって提供される役務を含む経営的若しくは技術的性質の役務又はコンサルタントの役務の対価としてのすべての支払金（支払者のその雇用する者に対する支払金及び第 14 条に定める独立の人的役務の対価としての個人に対する支払金を除く。）をいう。
5	1 及び 2 の規定は，一方の締約国の居住者である使用料又は技術上の役務に対する料金の受益者が，当該使用料若しくは技術上の役務に対する料金の生じた他方の締約国において当該他方の締約国内にある恒久的施設を通じて事業を行い又は当該他方の締約国において当該他方の締約国内にある固定的施設を通じて独立の人的役務を提供する場合において，当該使用料又は技術上の役務に対する料金の支払の基因となった権利，財産又は契約が当該恒久的施設又は当該固定的施設と実質的な関連を有するものであるときは，適用しない。この場合には，第 7 条又は第 14 条の規定を適用する。
6	使用料及び技術上の役務に対する料金は，その支払者が一方の締約国又は当該一方の締約国の地方政府，地方公共団体若しくは居住者である場合には，当該一方の締約国内において生じたものとされる。ただし，使用料又は技術上の役務に対する料金の支払者（締約国の居住者であるかないかを問わない。）が一方の締約国内に恒久的施設又は固定的施設を有する場合において，当該使用料又は技術上の役務に対する料金を支払う債務が当該恒久的施設又は固定的施設について生じ，かつ，当該使用料又は技術上の役務に対する料金が当該恒久的施設又は固定的施設によって負担されるものであるときは，当該使用料又は技術上の役務に対する料金は，当該恒久的施設又は固定的施設の存在する当該一方の締約国内において生じたものとされる。

用料は，国内法に基づけば国内源泉所得に該当しませんが，租税条約の定めに基づけば，国内源泉所得に該当するため，日本において10％の税率で源泉徴収されることになります。これは，当該使用料に対して，国内法に規定する20.42％ではなく，日印租税条約の12条2項に規定する10％が適用されるためです。

2. プリザベーション・クローズ

上記1. において，租税条約は国内法に優先して適用されると説明しましたが，租税条約が常に国内法に優先して適用されるわけではありません。納税者にとって，国内法が租税条約よりも有利に働くような場合には，国内法がそのまま適用される場合があります。これをプリザベーション・クローズ（Preservation clause）といいます。日米租税条約を例にとると，1条2項において，次のように規定されています。

【日米租税条約1条（条約と国内法との関係）より一部抜粋】

2	この条約の規定は，次のものによって現在又は将来認められる非課税，免税，所得控除，税額控除その他の租税の減免をいかなる態様においても制限するものと解してはならない。	
	(a)	一方の締約国が課する租税の額を決定するに当たって適用される当該一方の締約国の法令

国内法と租税条約との適用関係をまとめると，下図のとおりです。

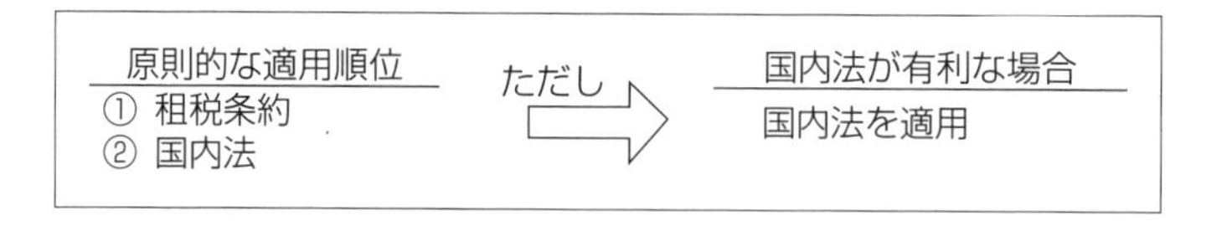

例えば，内国法人Aがタイ法人Bから，資金の借入を行い，その借入に対する利子10,000円をタイ法人Bに支払う場合を想定します。なお，当該資金は，日本国内の業務に使用するものとします。

内国法人Aによる利子の支払総額10,000円について，日本の国内法に基づ

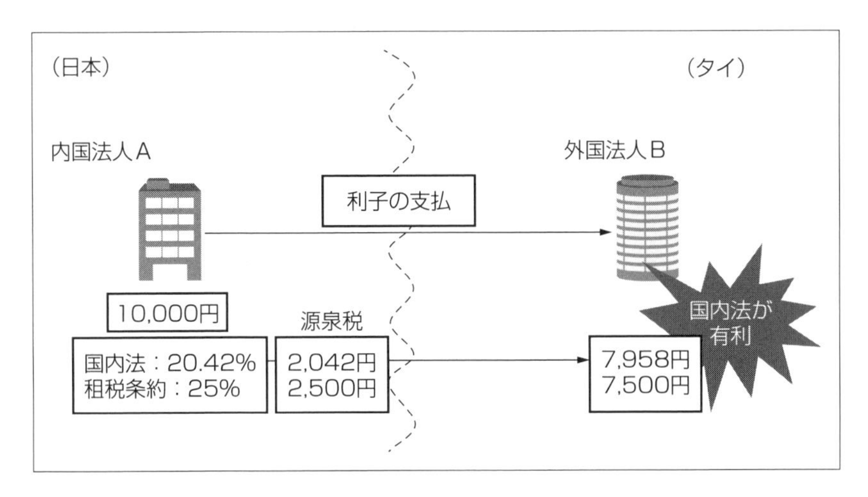

【日タイ租税条約より一部抜粋】

1	一方の締約国内において生じ，他方の締約国の居住者に支払われる利子に対しては，当該他方の締約国において租税を課することができる。	
2	１の利子に対しては，当該利子が生じた締約国においても，当該締約国の法令に従って租税を課することができる。その租税の額は，当該利子の受領者が当該利子の受益者であり，かつ，他方の締約国の居住者である法人の場合には，次の額を超えないものとする。	
	(a)	金融機関（保険会社を含む。）が受け取る利子である場合には，当該利子の額の10パーセントを超えないものとする。
	(b)	その他の場合には，当該利子の額の25パーセントを超えないものとする。

き適用される所得税の源泉徴収税率は20.42％です。一方，日本とタイとの間の租税条約において，利子に対する源泉徴収税率は25％を超えないものとすると定められています。この場合には，国内法を適用する方が有利となりますので，内国法人Ａは，国内法に基づく20.42％で源泉徴収することができます。租税条約に規定される税率は，一般的に適用税率の上限と考えられています。

3．課税の取扱いについての検討順序

このように国内法より租税条約が優先されることがありますから，国境を越

えて行われる取引について課税の取扱いを検討する際には，まず国内法を確認し，次に租税条約を確認する必要があります。

例えば，源泉徴収税率を例に挙げますと，国内法を確認するのみでは，租税条約の軽減税率（免税）の適用を見落とす可能性があります。また一方で，租税条約を確認するのみでは，上記プリザベーション・クローズが生じる場合において，不利な税率を適用してしまう可能性があります。

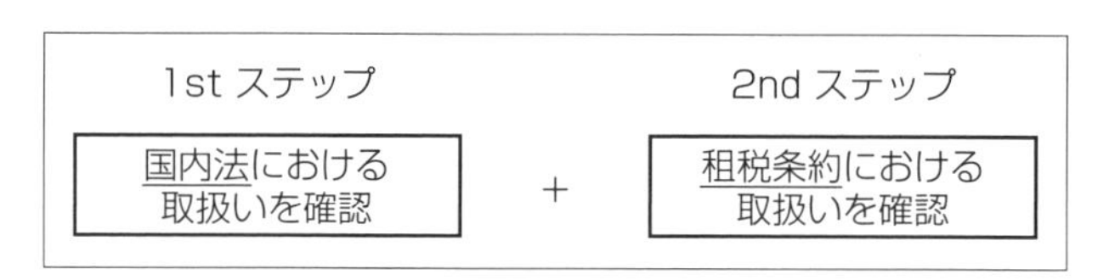

第３節　租税条約の適用方法

1．租税条約に関する届出書の提出義務

非居住者や外国法人が受領する配当・利子・使用料等の国内源泉所得について，租税条約に規定する源泉徴収税率の軽減や免除等，租税条約の適用を受ける場合には，「租税条約に関する届出書」の提出が必要となります。「租税条約に関する届出書」を次頁にサンプルとして記載しましたが，届出書の作成・提出にあたっては，次の点にご注意ください。

①　提出者

日本において課せられる源泉所得税の軽減・免除を受けようとする非居住者・外国法人等が届出書を提出します。

②　提出先

提出先は，所得の支払者（源泉徴収義務者）の納税地の所轄税務署長です。

提出者は，源泉徴収義務者を経由して届出書を提出することとなります。

③　提出期限日

提出者が最初にその所得の支払を受ける日の前日までに，上記②の納税地の所轄税務署長に届出書を提出します。

様式1
FORM

租税条約に関する届出書
APPLICATION FORM FOR INCOME TAX CONVENTION

配当に対する所得税及び復興特別所得税の軽減・免除
Relief from Japanese Income Tax and Special Income Tax for Reconstruction on Dividends

この届出書の記載に当たっては、別紙の注意事項を参照してください。
See separate instructions.

（税務署整理欄 For official use only）
適用；有、無

支払者受付印　税務署受付印

＿＿＿＿税務署長殿
To the District Director, ＿＿＿＿Tax Office

1　適用を受ける租税条約に関する事項；
Applicable Income Tax Convention
日本国と＿＿＿＿との間の租税条約第＿条第＿項＿
The Income Tax Convention between Japan and＿＿＿＿, Article＿＿, para.＿＿

□ 限度税率＿＿％ Applicable Tax Rate
□ 免税 Exemption

2　配当の支払を受ける者に関する事項；
Details of Recipient of Dividends

氏名又は名称 Full name		
個人の場合 Individual	住所又は居所 Domicile or residence	（電話番号 Telephone Number）
	国籍 Nationality	
法人その他の団体の場合 Corporation or other entity	本店又は主たる事務所の所在地 Place of head office or main office	（電話番号 Telephone Number）
	設立又は組織された場所 Place where the Corporation was established or organized	
	事業が管理・支配されている場所 Place where the business is managed or controlled	（電話番号 Telephone Number）
下記「4」の配当につき居住者として課税される国、納税地（注8） Country where the recipient is taxable as resident on Dividends mentioned in 4 below and the place where he is to pay tax (Note 8)		（納税者番号 Taxpayer Identification Number）
日本国内の恒久的施設の状況 Permanent establishment in Japan □有(Yes)，□無(No) If "Yes", explain:	名称 Name	
	所在地 Address	（電話番号 Telephone Number）
	事業の内容 Details of Business	

3　配当の支払者に関する事項；
Details of Payer of Dividends

(1) 名称 Full name	
(2) 本店の所在地 Place of head office	（電話番号 Telephone Number）
(3) 発行済株式のうち議決権のある株式の数（注9） Number of voting shares issued (Note 9)	

4　上記「3」の支払者から支払を受ける配当で「1」の租税条約の規定の適用を受けるものに関する事項（注10）；
Details of Dividends received from the Payer to which the Convention mentioned in 1 above is applicable (Note 10)

元本の種類 Kind of Principal	銘柄又は名称 Description	名義人の氏名又は名称（注11） Name of Nominee of Principal (Note 11)
□出資・株式・基金 Shares (Stocks) □株式投資信託 Stock investment trust		

元本の数量 Quantity of Principal	左のうち議決権のある株式数 Of which Quantity of Voting Shares	元本の取得年月日 Date of Acquisition of Principal

5　その他参考となるべき事項（注12）；
Others (Note 12)

④　記載事項

源泉所得税の軽減・免除を受けようとする者の名称，本店所在地，所得の種類，所得の支払者などを記載します。

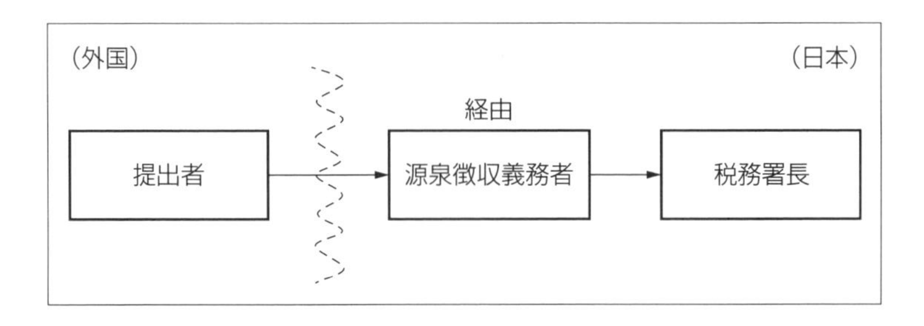

2. 特典制限条項（Limitation on Benefit: LOB）

特典制限条項とは，2004年に改正された日米租税条約によって初めて採用された条項です。租税条約のメリットを享受できる者や所得に一定の要件を付すことにより（適格者，適格所得），トリーティーショッピング（条約漁り。後述のコラムを参照）と呼ばれる租税条約の濫用による租税回避行為を防止することを目的として創設されました。なお，適格者等の要件は租税条約ごとに定められていますが，その内容はおおむね同様です。

例として，日米租税条約に規定する特典制限条項における⑴適格者，⑵適格所得，⑶権限のある当局による認定を以下に記します。

⑴ 適格者

① 個人

② 国，地方政府または地方公共団体，中央銀行

③ 一定の公開会社

④ ③の関連会社

⑤ 公益団体

⑥ 一定の年金基金

⑦ 個人以外の者（例えば，上記に該当しない法人等）で一定の要件を満たすもの

⑵ 適格所得

① 居住地国における営業や事業活動が，配当等を得るための株式等の取得や管理のみを行う活動ではないこと

② 居住地国において従事している営業や事業活動に関連または付随して取得される所得であること

③ 居住地国における営業や事業活動が，所得源泉地国である締約相手国における営業や事業の活動との関係で実質的なものであること

(3) 権限のある当局による認定

上記(1)，(2)の特典制限条項の要件を満たさない者でも，締約国の権限のある当局が法令または行政慣行に従って，居住者の設立，取得または維持およびその業務の遂行が，条約の特典を受けるためではないと認定するときは，「租税条約に基づく認定を受けるための申請書」など一定の書類を権限のある当局（国税庁長官等）に提出し，許可を受けることで，租税条約の特典を受けることができます。

特典制限条項を有する租税条約には，日米租税条約，日英租税条約，日仏租税条約，日豪租税条約，日スイス租税条約，日蘭租税条約，日ニュージーランド租税条約，日スウェーデン租税条約，日独租税条約，日ラトビア共和国租税条約があり，これらの条約における源泉徴収税率等の減免のメリットを受けようとする者は，「租税条約に関する届出書」とともに「特典条項に関する付表（様式17）」を提出する必要があります。提出方法は，租税条約に関する届出書と同様であり，所得の支払者（源泉徴収義務者）を通じて，その所得の支払者の納税地の所轄税務署長に提出します。

【日米租税条約に基づく「特典条項に関する付表」】

様式 17-米
FORM

特典条項に関する付表（米）

ATTACHMENT FORM FOR LIMITATION ON BENEFITS ARTICLE (US)

記載に当たっては、別紙の注意事項を参照してください。
See separate instructions.

1 適用を受ける租税条約の特典条項に関する事項；
Limitation on Benefits Article of applicable Income Tax Convention
日本国とアメリカ合衆国との間の租税条約第22条
The Income Tax Convention between Japan and The United States of America, Article 22

2 この付表に記載される者の氏名又は名称；
Full name of Resident this attachment Form

	居住地国の権限ある当局が発行した居住者証明書を添付してください(注5)。 Attach Residency Certification issued by Competent Authority of Country of residence. (Note 5)

3 租税条約の特典条項の要件に関する事項；
AからCの順番に各項目の「□該当」又は「□非該当」の該当する項目に✓印を付してください。いずれかの項目に「該当」する場合には、それ以降の項目に記入する必要はありません。なお、該当する項目については、各項目ごとの要件に関する事項を記入の上、必要な書類を添付してください。
In order of sections A, B and C , check applicable box "Yes" or "No" in each line. If you check any box of "Yes", in section A to C, you need not fill the lines that follow. Applicable lines must be filled and necessary document must be attached.

A

(1) 個人 Individual　　□該当 Yes , □非該当 No

(2) 国、地方政府又は地方公共団体、中央銀行　　□該当 Yes , □非該当 No
Contracting Country, any Political Subdivision or Local Authority, Central Bank

(3) 公開会社(注7) Publicly Traded Company (Note 7)　　□該当 Yes , □非該当 No
(公開会社には、下表のC欄が6%未満である会社を含みません。)(注8)
("Publicly traded Company" does not include a Company for which the Figure in Column C below is less than 6%.)(Note 8)

株式の種類 Kind of Share	公認の有価証券市場の名称 Recognized Stock Exchange	シンボル又は証券コード Ticker Symbol or Security Code	発行済株式の総数の平均 Average Number of Shares outstanding	有価証券市場で取引された株式の数 Number of Shares traded on Recognized Stock Exchange	B/A(%)
			A	B	C %

(4) 公開会社の関連会社 Subsidiary of Publicly Traded Company　　□該当 Yes , □非該当 No
(発行済株式の総数(________株)の 50%以上が上記(3)の公開会社に該当する5以下の法人により直接又は間接に所有されているものに限ります。)(注9)。
("Subsidiary of Publicly Traded Company" is limited to a company at least 50% of whose shares outstanding (________shares) are owned directly or indirectly by 5 or fewer "Publicly Traded Companies" as defined in (3) above.)(Note 9)
年　月　日現在の株主の状況 State of Shareholders as of (date)____/____/____

株主の名称 Name of Shareholder	居住地国における納税地 Place where Shareholder is taxable in Country of residence	公認の有価証券市場 Recognized Stock Exchange	シンボル又は証券コード Ticker Symbol or Security Code	間接保有 Indirect Ownership	所有株式数 Number of Shares owned
1				□	
2				□	
3				□	
4				□	
5				□	
合計 Total (持株割合 Ratio (%) of Shares owned)					(%)

(5) 公益団体(注10) Public Service Organization (Note 10)　　□該当 Yes , □非該当 No
設立の根拠法令 Law for Establishment　　設立の目的 Purpose of Establishment

(6) 年金基金(注11) Pension Fund (Note 11)　　□該当 Yes , □非該当 No
(直前の課税年度の終了の日においてその受益者、構成員又は参加者の 50%を超える者が日本又は「1」の租税条約の相手国の居住者である個人であるものに限ります。受益者等の 50%以上が、両締約国の居住者である事情を記入してください。)
"Pension Fund" is limited to one more than 50% of whose beneficiaries, members, or participants were individual residents of Japan or the other contracting country of the convention mentioned in 1 above as of the end of the prior taxable year. Provide below details showing that more than 50% of beneficiaries etc. are individual residents of either contracting country.

設立等の根拠法令 Law for Establishment　　非課税の根拠法令 Law for Tax Exemption

Aのいずれにも該当しない場合は、Bに進んでください。If none of the lines in A applies, proceed to B.

B

次の(a)及び(b)の要件のいずれも満たす個人以外の者 Person other than an Individual, and satisfying both (a) and (b) below　　□該当 Yes，□非該当 No

(a)　株式や受益に関する持分(＿＿＿＿＿)の 50%以上が、Aの(1)、(2)、(3)、(5)及び(6)に該当する日本又は「１」の租税条約の相手国の居住者により直接又は間接に所有されていること(注 12)

Residents of Japan or the other contracting Country of the Convention mentioned in 1 above who fall under (1),(2),(3),(5) or (6) of A own directly or indirectly at least 50% of Shares or other beneficial Interests (＿＿＿＿＿) in the Person. (Note 12)

＿年＿月＿日現在の株主等の状況 State of Shareholders, etc. as of (date)＿＿/＿＿/＿＿

株主等の氏名又は名称 Name of Shareholders	居住地国における納税地 Place where Shareholders is taxable in Country of residence	Aの番号 Number of applicable Line in A	間接所有 Indirect Ownership	株主等の持分 Number of Shares owned
			□	
			□	
			□	
合　計 Total（持分割合 Ratio(%) of Shares owned）				（　%）

(b)　総所得のうち、課税所得の計算上控除される支出により、日本又は「１」の租税条約の相手国の居住者に該当しない者（以下「第三国居住者」といいます。）に対し直接又は間接に支払われる金額が、50%未満であること(注 13)

Less than 50% of the person's gross income is paid or accrued directly or indirectly to persons who are not residents of Japan or the other contracting country of the convention mentioned in 1 above ("third country residents") in the form of payments that are deductible in computing taxable income in country of residence (Note 13)

第三国居住者に対する支払割合　Ratio of Payment to Third Country Residents　　　（通貨 Currency:　　　　）

	申告　Tax Return	源泉徴収税額　Withholding Tax		
	当該課税年度 Taxable Year	前々々課税年度 Taxable Year three Years prior	前々課税年度 Taxable Year two Years prior	前課税年度 Prior taxable Year
第三国居住者に対する支払 Payment to third Country Residents	A			
総所得 Gross Income	B			
A/B (%)	C　%	%	%	%

Bに該当しない場合は、Cに進んでください。If B does not apply, proceed to C.

C

次の(a)から(c)の要件を全て満たす者 Resident satisfying all of the following Conditions from (a) through (c)　　□該当 Yes，□非該当 No

居住地国において従事している営業又は事業の活動の概要(注 14)；Description of trade or business in residence country (Note 14)

(a)　居住地国において従事している営業又は事業の活動が、自己の勘定のために投資を行い又は管理する活動（商業銀行、保険会社又は登録を受けた証券会社が行う銀行業、保険業又は証券業の活動を除きます。）ではないこと(注 15)：　□はい Yes，□いいえ No

Trade or business in country of residence is other than that of making or managing investments for the resident's own account (unless these activities are banking, insurance or securities activities carried on by a commercial bank, insurance company or registered securities dealer) (Note 15)　□はい Yes，□いいえ No

(b)　所得が居住地国において従事している営業又は事業の活動に関連又は付随して取得されるものであること(注 16)：

Income is derived in connection with or is incidental to that trade or business in country of residence (Note 16)

(c)　（日本国内において営業又は事業の活動から所得を取得する場合）居住地国において行う営業又は事業の活動が日本国内において行う営業又は事業の活動との関係で実質的なものであること(注 17)：　□はい Yes，□いいえ No

(If you derive income from a trade or business activity in Japan) Trade or business activity conducted in the country of residence is substantial in relation to the trade or business activity conducted in Japan. (Note 17)

日本国内において従事している営業又は事業の活動の概要；Description of Trade or Business in Japan.

D　国税庁長官の認定；

Determination by the NTA Commissioner

国税庁長官の認定を受けている場合は、以下にその内容を記載してください。その認定の範囲内で租税条約の特典を受けることができます。なお、上記ＡからＣまでのいずれかに該当する場合には、権限ある当局の認定は不要です。

If you have been a determination by the NTA Commissioner, describe below the determination. Convention benefits will be granted to the extent of the determination. If any of A through C above applies, determination by the NTA Commissioner is not necessary.

・認定を受けた日　Date of determination ＿＿年＿＿月＿＿日

・認定を受けた所得の種類
Type of income for which determination was given＿＿＿＿＿＿＿＿＿＿

3．租税条約に関する届出書が未提出の場合

租税条約に関する届出書が提出されていない場合には，所得の支払者である源泉徴収義務者は，国内法に基づき源泉徴収を行うことになります。ただし，所得を受領した非居住者や外国法人は，その後「租税条約に関する源泉徴収税額の還付請求書」等，一定の書類を所得の支払者を通じて所得の支払者の納税地の所轄税務署長に提出することにより，租税条約による軽減税率を適用することができ，国内法と租税条約の税率の差による金額（納め過ぎた源泉徴収税額）の還付を受けることが可能です。

Column　トリーティーショッピング（条約漁り）

トリーティーショッピングとは，本来は租税条約が適用されない者（その租税条約締結国以外の第三国の居住者）が，その租税条約締結国内にペーパーカンパニーを設立して形式的な居住者となり，その租税条約のベネフィットを享受できるようにする行為等をいいます。

トリーティーショッピングの例を以下に挙げます。

【前提】
- 日本はＸ国とは租税条約を締結していない
- Ｘ国の国内法における支払配当の源泉税率は20％である
- 日本はＹ国と租税条約を締結しており，配当に係る源泉税は免税となる
- Ｘ国とＹ国とは租税条約を締結しており，配当に係る源泉税は免税となる
- Ｙ国法人Ｃは実体のないペーパーカンパニーである

【Ｘ国法人Ｂから内国法人Ａに10,000円の配当を行う場合】

10,000円の配当について，Ｘ国で20％の源泉税が係るため，内国法人Ａの手元には8,000円しか残りません。

【租税条約に関する源泉徴収税額の還付請求書】

様式 11
FORM

租税条約に関する源泉徴収税額の還付請求書

（割引債及び芸能人等の役務提供事業の対価に係るものを除く。）

（税務署整理欄 For official use only）

通信日付印	・　・
確認印	
還付金；有、無	

支払者受付印　　税務署受付印

APPLICATION FORM FOR REFUND OF THE OVERPAID WITHHOLDING TAX OTHER THAN REDEMPTION OF SECURITIES AND REMUNERATION DERIVED FROM RENDERING PERSONAL SERVICES EXERCISED BY AN ENTERTAINER OR A SPORTSMAN IN ACCORDANCE WITH THE INCOME TAX CONVENTION

この還付請求書の記載に当たっては、裏面の注意事項を参照してください。
See instructions on the reverse side.

税務署長殿
To the District Director,　　　　Tax Office

1　還付の請求をする者（所得の支払を受ける者）に関する事項；
Details of the Person claiming the Refund (Recipient of Income)

フリガナ Furigana 氏名又は名称(注５) Full name (Note 5)	（納税者番号 Taxpayer Identification Number）
住所（居所）又は本店（主たる事務所）の所在地 Domicile (residence) or Place of head office (main office)	（電話番号 Telephone Number）

2　還付請求金額に関する事項；
Details of Refund

(1)　還付を請求する還付金の種類；（該当する下記の条項の□欄に✓印を付してください（注６）。）
Kind of Refund claimed; (Check applicable block below (Note 6).)

租税条約等の実施に伴う所得税法、法人税法及び地方税法の特例等に関する法律の施行に関する省令第15条第１項
Ministerial Ordinance of the Implementation of the Law concerning the Special Measures of the Income Tax Law , the Corporation Tax Law and the Local Tax Law for the Enforcement of Income Tax Conventions, paragraph 1 of Article15 ……………………

- □第１号(Subparagraph 1)
- □第３号(Subparagraph 3)
- □第５号(Subparagraph 5)
- □第７号(Subparagraph 7)

に掲げる還付金
Refund in accordance with the relevant subparagraph

(2)　還付を請求する金額；
Amount of Refund claimed　　¥　　　　円

(3)　還付金の受領場所等に関する希望；（該当する下記の□欄に✓印を付し、次の欄にその受領を希望する場所を記入してください。）
Options for receiving your refund; (Check the applicable box below and enter your information in the corresponding fields.)

受取希望場所 Receipt by transfer to:	銀行 Bank	支店 Branch	預金種類及び口座番号又は記号番号 Type of account and account number	口座名義人 Name of account holder
□ 日本国内の預金口座 a Japanese bank account				
□ 日本国外の預金口座 a bank account outside Japan				
	支店住所(国名、都市名) Branch Address (Country ,City):			
□ ゆうちょ銀行の貯金口座 an ordinary savings account at the Japan Post Bank		—		
□ 郵便局等の窓口受取りを希望する場合 the Japan Post Bank or the post office (receipt in person)			—	—

3　支払者に関する事項；
Details of Payer

氏名又は名称 Full name	
住所（居所）又は本店（主たる事務所）の所在地 Domicile (residence) or Place of head office (main office)	（電話番号 Telephone Number）

4　源泉徴収義務者の証明事項；
Items to be certified by the withholding agent

(1) 所得の種類 Kind of Income	(2) 所得の支払期日 Due Date for Payment	(3) 所得の支払金額 Amount paid	(4) (3)の支払金額から源泉徴収した税額 Withholding Tax on (3)	(5) (4)の税額の納付年月日 Date of Payment of (4)	(6) 租税条約を適用した場合に源泉徴収すべき税額 Tax Amount to be withheld under Tax Convention	(7) 還付を受けるべき金額 Amount to be refunded ((4)−(6))
		円 yen	円 yen		円 yen	円 yen

上記の所得の支払金額につき、上記のとおり所得税及び復興特別所得税を徴収し、納付したことを証明します。
I hereby certify that the tax has been withheld and paid as shown above.

年　月　日
Date＿＿＿＿＿＿＿＿　源泉徴収義務者
Signature of withholding agent＿＿＿＿＿＿＿＿印

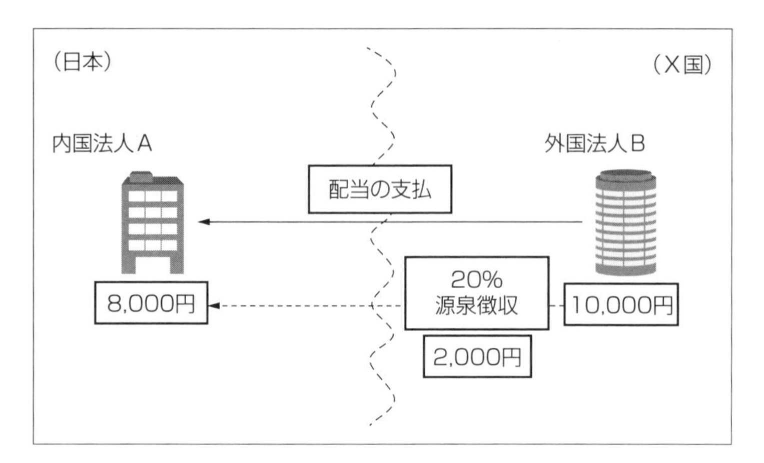

【X 国法人 B から Y 国法人 C に 10,000 円の配当を行い，その Y 国法人 C から内国法人 A に 10,000 円の配当を行う場合】

X 国と Y 国との間の租税条約，日本と Y 国との間の租税条約が適用されると，配当に係る源泉税は全て免税となり，内国法人 A の手元には配当の総額 10,000 円が残ることになります。

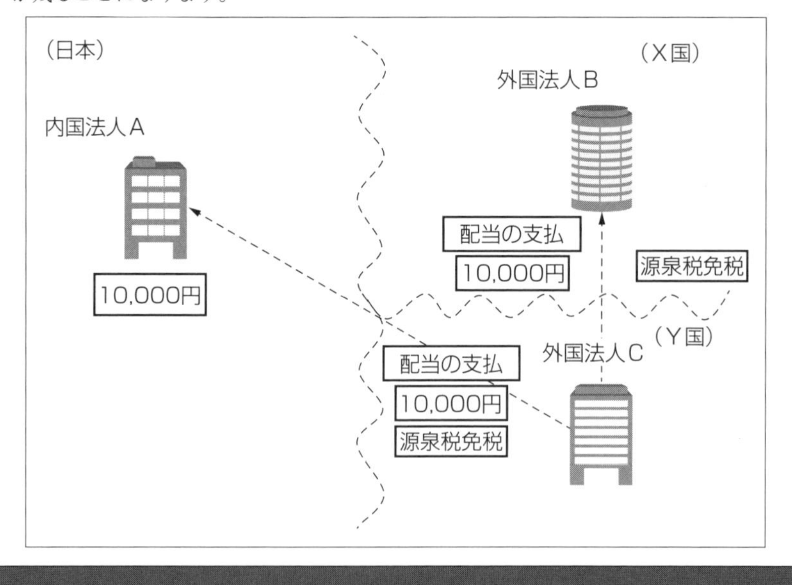

Column　日米租税条約の適用方法（米国側）

本章第２節1.⑴では，米国法人が日米租税条約を適用して，日本の租税について減免を受ける場合を説明しましたが，ここでは反対に，日本法人が日米租税条約を適用して，米国の租税について減免を受けるための適用方法を紹介します。

1．提出書類

Form W-8BEN-E（※）を提出します。Form W-8BEN-Eとは日本居住者であること，つまり，米国における源泉徴収に関して受益者が米国非居住者であることを証する書面であり，米国内国歳入庁（IRS）が規定するフォームの１つです。

※　米国の税制改正により，2015年１月提出分からForm W-8BENは受益者が個人である場合に使用し，Form W-8BEN-Eは受益者が事業体（法人等）である場合に使用することになりました。

2．提出の目的

受益者（米国非居住者）が，日米租税条約に基づく米国の租税の軽減または免除の特典を受けるために，Form W-8BEN-Eを提出します。

3．提出の時期と提出先

受益者は，米国源泉所得（配当，利子またはロイヤルティ等）を受領する前に，Form W-8BEN-Eに必要事項を記入して，所得の支払者（源泉徴収義務者）である米国法人等へ提出します。

4．提出がない場合の取扱い

米国国内法に従って，米国源泉所得の支払について30％（または予備源泉徴収税率等）の源泉税が課せられます。

5．有効期限

会社名の変更など当該フォーム提出時に記載した情報の変更（change in circumstances）がない場合には，原則として，当該フォームの署名日の属する年の翌年の１月１日から３年間有効です。例えば，当該フォームの署名日が2018年９月30日の場合には，2021年12月31日まで有効です（記載情報の変更がなく，米国納税者番号（TIN）の記載があるなど一定の場合には，無期限に有効）。

第3章

外国税額控除

第1節　制度の概要（法法69）

内国法人は，日本国内・国外で得た全ての所得に対して日本の法人税が課されます。その所得のうち，海外で得た所得に対しては，通常その所得を得た国や地域の法律に従って現地でも課税されます。このため，同じ所得に対して日本の法人税と外国の法人税の課税が生じ，二重課税となります。

外国税額控除は，このような日本と外国との間での二重課税を調整するために，内国法人が外国で支払った一定の法人税等（外国法人税）をその居住地で

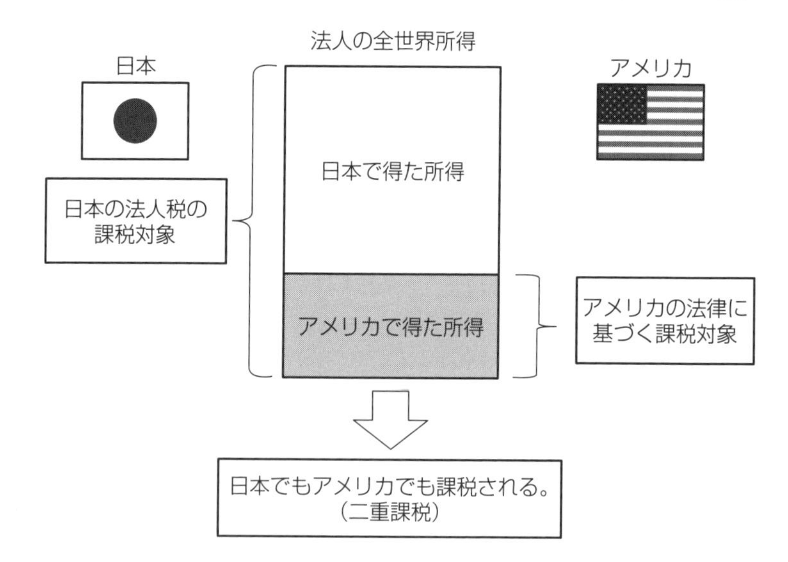

ある日本の法人税から控除する制度です。

例えば，日本に本社があり，アメリカに支店を有する内国法人は，アメリカ支店を通じ，得た所得に対して日本とアメリカの両国において，それぞれ課税され二重課税が生じます。そこで外国税額控除を適用することで日本の法人税からアメリカで納めた税額を控除することができ二重課税が調整されます。

なお，平成26年度税制改正では外国法人に対する課税原則が「総合主義」から「帰属主義」に変更されました（72ページの「（参考）外国法人に対する課税原則の変更」参照）。事業所得については，変更前は日本国内において行う事業から生じる所得について課税されていましたが，変更後は，PE帰属所得について課税されることとされました。これに伴って，日本にPEを有する外国法人は，海外で発生したPE帰属所得について日本および外国の法人税等の二重課税が発生する可能性がでてきました。そのため，外国法人についても外国で支払った税金について，外国税額控除が適用されることになりました。

第２節　外国法人税の範囲

外国税額控除の対象となるのは外国法人税です。

一口に外国法人税といっても，国や地域によって様々な規定があります。例えば，納税者と課税当局との合意によって税率を決めるケースがあります。

このような場合まで，日本の法人税から控除してしまっては，かえって不公平が生じたり，日本の法人税を減らすために制度が濫用されたりする恐れがあることから，外国税額控除の対象となる外国法人税の範囲が定められています。

1．「外国税額控除の対象となる外国法人税」に含まれるもの（法令141①②）

外国税額控除の対象となる外国法人税とは，外国の法令に基づき法人の所得を課税標準として課される国税および地方税とされています。具体的には，次のような税が該当します。

① 法人の所得の全部または一部を課税標準として課される税（法人税や超過利潤税などが該当する）およびその付加税

② 上記①と同一の税目で利子・配当・使用料などに対する源泉徴収税（ただし，外国子会社配当益金不算入制度（第4章参照）の対象となる配当に係る源泉徴収税は除かれる）およびその付加税

2.「外国税額控除の対象となる外国法人税」に含まれないもの（法令141③）

次に掲げるものは，税負担を任意に免れるものであったり，罰則的な性格を持つものであるため，外国税額控除の対象となる外国法人税には該当しません。

① 納税者が税の納付後，任意に還付を請求することができる税

② 税の納付が猶予される期間を，納税者が任意に定めることができる税

③ 納税者と課税当局との間で合意により税率が決定できる税

④ 延滞税などの外国法人税に附帯して課される税等

また，次に掲げるものは所得に対する二重課税は生じないことから，外国法人税には該当しません。

① 関税や消費税など法人税でない税

② 営業資本に対して課される税など所得を課税標準としない税

参考 ガーンジー島事件　最高裁第一小法廷平成21年12月3日判決

ガーンジー島はイギリス海峡にあるイギリス国王直轄地であり，タックス・ヘイブン（第5章参照）として知られています。ガーンジー島では，0％～30％の税率から，納税者が課税当局との合意により，任意に税率を決定することができます。これに対して最高裁は，「実質的にみて，税を納付する者がその税負担を任意に免れることができる税は，法人税に相当する税に当たらないものとして，外国法人税に含まれないものと解することができるというべきである」としました。

しかし，判決当時においては，「納税者と課税当局との間で合意により

税率が決定できる税」を外国法人税から除く規定がなかったため，租税法律主義（課税を行う場合には，事前に法律により明文化されなければならないとする考え方）により，外国法人税であるとする納税者の主張を否定することはできませんでした。

そこで平成23年度の税制改正において，前述の「納税者と課税当局との間で合意により税率が決定できる税」については，控除の対象とならない旨の規定が設けられました。

第３節　外国税額控除の計算

1．控除額

法人税から控除することができる金額は，控除対象外国法人税額のうち，控除限度額までの金額です。

2．控除対象外国法人税額（法令142の2）

前節で述べた外国税額控除の対象となる外国法人税から，次に掲げる金額等を除いた金額が，控除対象外国法人税となります。

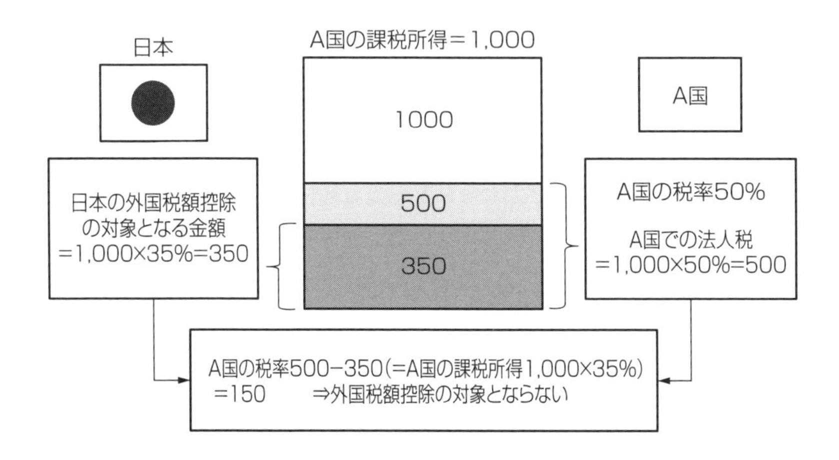

① 日本の法人税率を超える税率で課された部分の金額

日本の法人税率を超えて外国で課税されている部分については，外国でのみ課税されており，二重課税とはならないため，控除の対象になりません。

具体的には35％を超える部分とされており，これは現在の日本において法人に課される法人税と地方税の税率を基に設定されています。

例えば，A国における課税所得が1,000，税率が50％とします。A国での法人税は1,000×50％＝500と計算されます。このうち，税負担が35％を超える部分150（A国での法人税500－A国の課税所得1,000×35％）については，日本の法人税から控除することはできません。

② 外国子会社配当益金不算入制度の対象となる配当に係る外国源泉徴収税額

外国子会社から受け取った配当金については，日本の法人税の計算上益金不算入（第4章参照）となりますので，二重課税となりません。したがって，当該配当金に係る外国での源泉徴収税額は控除対象外国法人税額には含まれません。

③ 通常行われないような取引に対して課された外国法人税

通常では行われないような取引を行ったことにより課された外国法人税は，控除対象外国法人税額には含まれません。

例えば，内国法人が外国法人X社から借入れを行い，その借入金と同じ金額をX社の同族株主であるYに特に有利な条件で貸し付ける場合など，第三者間での通常取引では行われない，恣意性の強い取引などが該当します。

④ 租税条約による軽減税率を超える額または免除される額

租税条約の適用により外国法人税が軽減または免除される場合，当該租税条約より課することができるとされる額を超える部分の金額または免除されることとされる金額は，控除対象外国法人税額には含まれません。

3．控除限度額

(1) 控除限度額の計算（法令142）

外国税額控除額の控除限度額は，次のように計算します。

$$\text{控除限度額} = \text{全世界所得に対する法人税額} \times \frac{\text{調整国外所得金額}^{(※)}}{\text{全世界所得金額}}$$

※ただし，調製国外所得金額は，原則として全世界所得金額の90％を上限とする。

上記計算における調整国外所得金額とは，国外所得金額から外国法人税が課されない国外源泉所得に係る所得の金額を控除した金額をいいます。国外所得金額とは，法人税法69条4項の一号と二号から十六号までに定められた国外源泉所得の額を合計した金額をいいます。国外源泉所得は，本文の第1章第3節に説明している国内源泉所得について，内国法人等が国外で得た場合における所得を国外源泉所得として定めています。具体的には以下の所得です。

【国外源泉所得】

①　国外にある事業所等に帰属する所得
②　国外にある資産の運用・保有
③　国外にある資産の譲渡
④　国外における人的役務の提供事業の対価
⑤　国外不動産の賃貸等
⑥　国外にある公社債等の利子等
⑦　国外における配当等
⑧　国外における業務用貸付金利子等
⑨　国外における使用料等
⑩　国外における広告宣伝のための賞金
⑪　国外における生命保険契約に基づく年金等
⑫　国外における定期預金の給付補てん金等
⑬　国外における匿名組合契約に基づいて受ける利益の分配等　など

例えば，全世界所得が1,500（うち調整国外所得金額が500）に対して，日本で課された法人税（全世界所得に対する法人税額）が525，外国で課された税額が150（全て控除対象外国法人税額に該当），とした場合には，控除限度額および外国税額控除額は次のように計算されます。

$$\text{控除限度額} = \text{全世界所得に対する法人税額}\ 525 \times \frac{\text{調製国外所得金額}\ 500}{\text{全世界所得金額}\ 1{,}500} = 175$$

控除対象外国法人税額 150 ≦控除限度額 175　∴外国税額控除額 150

なお，調整国外所得金額は，原則として全世界所得金額の 90 ％が上限とされていますので，例えば，全世界所得金額が 2,000（うち調整国外所得金額が 1,900）に対して，日本で課された法人税（全世界所得に対する法人税）が 700，外国で課された税額が 650（全て控除対象外国法人税額に該当），とした場合には，控除限度額および外国税額控除額は次のように計算されます。

$$\text{控除限度額} = \text{全世界所得に対する法人税額}\ 700 \times \frac{\text{調整国外所得金額}\ 1{,}800\ (\text{※})}{\text{全世界所得金額}\ 2{,}000}$$

$$= 630$$

※　調整国外所得金額 = 1,900 ＞全世界所得 2,000 × 90 ％ = 1,800　∴ 1,800

控除対象外国法人税額 650 ＞控除限度額 630　∴外国税額控除額 630

⑵　控除対象外国法人税額が控除限度額を超える場合の取扱い

控除対象外国法人税額が，法人税の控除限度額を超える場合には，その超えた金額は地方税の控除限度額の範囲内で，住民税から控除します。この場合には，まず道府県民税から控除し，それでもなお控除しきれない金額がある場合には，法人市町村民税から控除します。

また，法人税と地方税の控除限度額を適用しても，なお控除しきれない控除対象外国法人税額は，翌期以後 3 年間繰り越すことができます。

なお，法人道府県民税および法人市町村民税の控除限度額は，それぞれ次のように計算します。

法人道府県民税の控除限度額＝法人税の控除限度額の 3.2 ％
法人市町村民税の控除限度額＝法人税の控除限度額の 9.7 ％

例えば，控除対象外国法人税額が 10,000，法人税の控除限度額 6,000 の場合には，法人税から控除しきれない金額は 4,000 です。

控除対象外国法人税額 10,000 －控除限度額 6,000 ＝法人税から控除しきれない金額 4,000

この場合に，道府県民税の控除限度額が 192（法人税の控除限度額 6,000 × 3.2 %），市町村民税の控除限度額が 582（法人税の控除限度額 6,000 × 9.7 %）となりますから，道府県民税から控除しきれない金額は 3,808（4,000 － 192），市町村民税からも控除しきれない金額は 3,226（3,808 － 582）となります。

上記の結果，法人税と地方税の控除限度額を適用しても控除しきれない控除対象外国法人税額 3,226 については，翌期以後３年間繰り越すことができます。

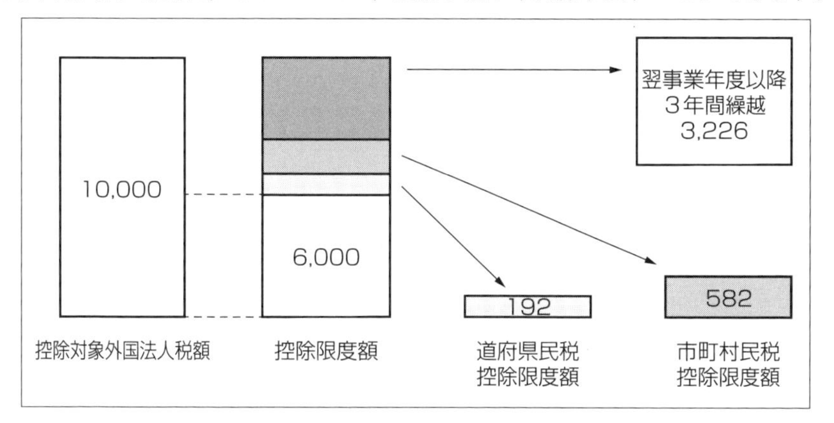

(3)　控除対象外国法人税額が控除限度額に満たない場合の取扱い

控除対象外国法人税額が控除限度額に満たない場合には，控除限度額のうち，その満たない部分の金額を翌事業年度以後3年間繰り越すことができます。

例えば，X1 期の控除対象外国法人税額が 200，控除限度額が 250 であったとします。この場合には，控除限度額のうち 50 を翌期に繰り越すことができます。

したがって，X2 期の控除対象外国法人税額が 300，控除限度額が 250 であるとすると，X2 期においては，X1 期から繰り越された控除限度額と合算した 300（250 ＋ 50）が控除限度額となります。

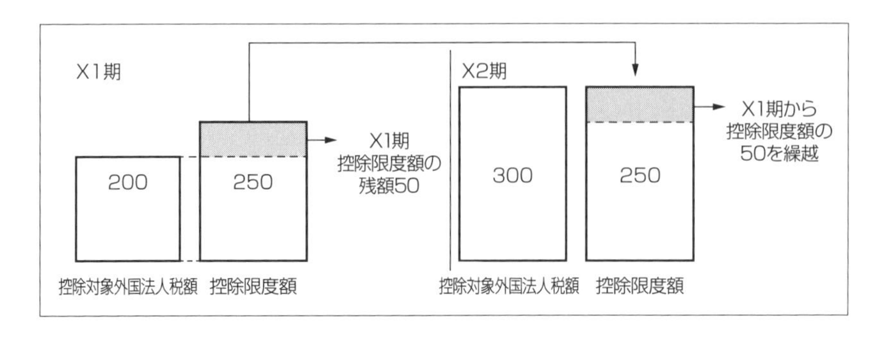

第4節　適用時期，外国法人税の換算

1．外国税額控除の適用時期（法基通16-3-5）

⑴　適用時期の判断

外国税額控除は，原則として外国で外国法人税を納付することとなる日の属する事業年度において適用します。

日本では原則として事業年度終了の日から2か月以内に法人税等の申告納付をする必要があります。しかし，外国においては，事業年度終了後相当期間経ってから納税するものや，賦課課税方式（国税当局が課税額を決定し納税者に通知して納税する方式）によるものもあります。そうすると，支払った外国法人税について，いつ外国税額控除を適用するか，その適用時期が問題になります。

この点，外国税額控除は，原則として納付が確定した日の属する事業年度において適用することとされており，納付が確定したか否かは，次のように判断します。

①	申告納税方式	申告書の提出の日，更正または決定があったときは，更正または決定があった日
②	賦課課税方式	賦課の通知があった日
③	源泉徴収方式	その源泉徴収の対象となった利子，配当，使用料等の支払日
④	印紙納付方式	印紙納付の日

(2)　(1)以外に認められる適用時期

外国税額控除の適用時期は，原則として上記(1)のとおりですが，次の取扱いも認められています。

①　外国法人税を費用に計上した日の属する事業年度に適用する場合

継続して外国法人税を費用として計上した日の属する事業年度において外国税額控除の適用を受けている場合には，この計算も認められることとされています。なお，費用に計上する基準が，外国法人税を納付した日などの税務上認められる合理的なものでなければ，この規定の適用を受けることができませんので，注意が必要です。

②　外国法人税の確定申告をした日の属する事業年度に適用する場合

外国において，予定納付や見積納付等を行った場合についても，その納付が確定した日の属する事業年度において外国税額控除を適用することとなります。ただし，予定納付や見積納付等をした時には，仮払金などとして費用に計上せず，実際に確定申告や賦課課税があった時に，仮払金を取り崩して外国法人税を費用に計上する経理処理を継続して行っている場合には，その確定申告や賦課課税があった日の属する事業年度において，外国税額控除の適用を受けることができます。

【例】

①　中間納付や見積納付等をした時の仕訳

仮払金　100　／　現預金 100

→　中間納付や見積納付等をした時には，外国税額控除の適用を受けない。

②　確定申告や賦課課税があった時の仕訳

法人税等　250　／　仮払金　100
　　　　　　　　　　現預金　150

→　確定申告や賦課課税があった時に，外国法人税額 250 について外国税額控除の適用を受ける。

2. 外国法人税の換算（法基通 16-3-47）

⑴ 外貨建て取引の円換算

外国税額控除の適用を受ける場合に，外国法人税額を日本円に換算する必要があります。円換算を行う際の為替相場は，原則としては，対顧客直物電信売相場（TTB）と対顧客直物電信買相場（TTS）との仲値（TTM）を用いることとされています。ただし，継続適用を条件として，売上その他の収益または資産については「取引日の電信買相場（TTB）」を，仕入その他の費用（原価および損失を含む）または負債については「取引日の電信売相場（TTS）」によることができます。また，継続適用を条件として，取引日の属する月の前月末日のTTMやTTS，TTBを用いたり，取引日の属する月の前月のTTMやTTS，TTBの平均値を用いることもできます。

⑵ 外国法人税額の円換算

① 源泉徴収に係る外国法人税

（イ） 利子や配当等を収益に計上すべき日の属する事業年度終了の日までに当該利子，配当等に対して課された外国法人税

…利子や配当等の額の円換算に適用した為替相場（TTMまたはTTB）

（ロ） 利子や配当等を収益に計上すべき日の属する事業年度終了の日後に当該利子，配当等に対して課された外国法人税

…外国法人税が課された日の属する事業年度において外貨建の費用の額の換算に適用する為替相場（TTMまたはTTS）

② 国内から送金する外国法人税

…外国法人税を納付すべきことが確定した日の属する事業年度において外貨建ての費用の額の換算に適用する為替相場（TTMまたはTTS）

③ 国外事業所等において納付する外国法人税

…外国法人税を納付すべきことが確定した日の属する事業年度の本支店合併損益計算書の作成の基準とした為替相場（TTMまたはTTS）

第５節　申告要件

外国税額控除を受けるためには，「外国税額の控除に関する明細書」(法人税申告書別表六（二）等）を作成し，確定申告書に控除を受ける金額を記載する必要があります（法法69⑮)。

加えて，添付書類として外国の確定申告書の写しや現地の納税証明書などの外国において税を課されたことを証明する次のような書類が必要です。

・　確定申告書の写し
・　現地の納税証明書
・　賦課決定通知書
・　納税告知書
・　源泉徴収の外国法人税に係る源泉徴収票など

第4章

外国子会社配当益金不算入制度

第1節　制度の概要と背景

1．概要（法法23の2）

内国法人が外国子会社から受ける剰余金の配当等の額がある場合には，その剰余金の配当等の額のうち一定の金額は，その内国法人の各事業年度の所得の金額の計算上，益金の額に算入しません。

【外国子会社配当益金不算入制度の概要】

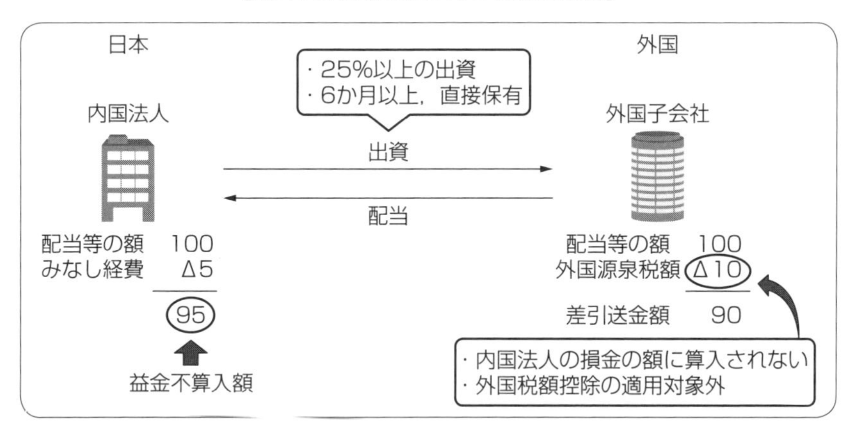

2．導入の背景

従来，外国子会社から受ける剰余金の配当等の額に係る国際的な二重課税の排除の方法として間接外国税額控除制度がありました。しかし，間接外国税額控除制度は，制度自体が複雑で企業の事務負担が大きいといった指摘がありました。また，外国子会社から配当を受けるとその全額が日本において課税対象となっていたことから，外国子会社の所在地国の税率より日本の税率が高い場合には，所在地国で課された税額を間接外国税額控除制度により控除してもなお日本において追加の納税が生じるケースがあり，配当せずに外国子会社に剰余金を留保していた場合と比べるとキャッシュ・フローが悪くなるため，国内への資金還流が阻害されているのではないかという指摘がありました。そこで，これらを整備するため，平成21年度税制改正において，間接外国税額控除制度に代えて，本制度（外国子会社配当益金不算入制度）が導入されました。

さらに，平成27年度税制改正において，配当支払国と配当受取国（日本）のいずれの国においても課税されない状態，すなわち課税の空白の状態を解消するため，外国子会社の課税所得の計算上，損金の額に算入することとされている配当等(※)の額を，内国法人の課税所得の計算上，益金の額に算入することとされました。

※　例えば，オーストラリア子会社からの優先株式配当やブラジル子会社からの配当が該当します。

第２節　制度の内容

1．適用対象（法令22の4）

⑴　外国子会社の範囲

①　原　則

本制度の適用対象となる外国子会社とは，次の（イ）および（ロ）の要件をいずれも満たしている外国法人をいいます。

（イ）　保有割合要件

次の（ⅰ）または（ⅱ）のいずれかに該当すること

（ⅰ）　発行済株式等（自己の株式または出資を除く）のうちに内国法人が保有している株式数または出資額の占める割合が25％以上である

（ⅱ）議決権のある株式数または出資額（自己の株式または出資を除く。）のうちに内国法人が保有している議決権のある株式数または出資額の占める割合が25％以上である

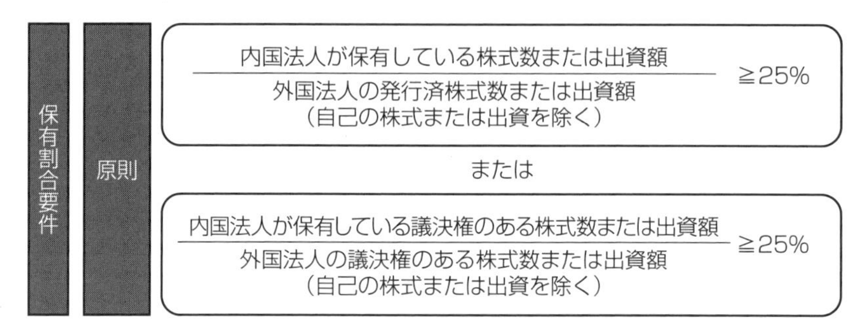

（ロ）保有期間要件

上記（イ）保有割合要件の（ⅰ）または（ⅱ）の状態が外国法人から受ける剰余金の配当等の支払義務が確定する日（例えば配当決議日など）以前6か月以上継続していること

②　保有割合要件の例外（租税条約による変更）

上記①（イ）（ⅰ）または（ⅱ）の出資割合は，租税条約に25％未満の割合が定められている場合には，その割合によります。具体的には，次のとおりです。

保有割合要件		外国子会社の所在地国	割合
	例外	フランス	15%
		アメリカ，オランダ，オーストラリア，カザフスタン，ブラジル	10%

※アメリカについては議決権のある株式等についてのみ

③　保有期間要件の例外

次の場合には，上記①（ロ）の保有期間要件の例外が定められています。

（イ）外国法人が新設法人である場合

その外国法人が，その剰余金の配当等の支払義務が確定する日以前6か月以内に設立された法人である場合には，その設立の日からその支払

義務が確定する日までの期間で判定します。

（ロ）　みなし配当の場合

外国法人から受ける剰余金の配当等がみなし配当(※)である場合には，剰余金の配当等の支払義務が確定する日の前日以前６か月の期間で判定します。

※　下記⑵②のみなし配当のうち，（ハ）の資本の払戻し（分割型分割によるもの以外で一定のもの）の事由によるものを除きます。

保有期間要件についてまとめると，次のとおりです。

保有期間要件	原則	剰余金の配当等の支払義務が確定する日以前6か月以上継続して保有
	例外	外国法人が新設法人である場合…… その設立の日から剰余金の配当等の支払義務が確定する日まで継続して保有
		みなし配当（資本の払戻しに係る部分を除く）の場合…… 剰余金の配当等の支払義務が確定する日の前日以前6か月以上継続して保有

⑵　剰余金の配当等の範囲（法法 23，法法 24）

①　原　則

本制度の対象となる剰余金の配当等は，次のとおりです。

（イ）　剰余金の配当（株式または出資に係るものに限るものとし，資本剰余金の額の減少に伴うものおよび分割型分割によるものを除く）

（ロ）　利益の配当（分割型分割によるものを除く）

（ハ）　剰余金の分配（出資に係るものに限る）

（ニ）　みなし配当

②　みなし配当

外国法人の株主等である内国法人が，その外国法人の次の（イ）～（ニ）などの事由により金銭等の交付を受けた場合において，その金銭等の額が当該外国法人の資本金等の額を超えるときは，その超える部分の金額は，実質的に配当と同じと考えられることから，上記①の剰余金の配当等の額とみなされ，本制度の対象となります。

例えば，自己株式を取得することによって，外国法人が留保している利益を株主である内国法人に実質的に帰属させた場合は，その利益に相当する部分は配当とみなされます。

（イ）　合併（適格合併を除く）

（ロ）　分割型分割（適格分割型分割を除く）

（ハ）　資本の払戻し（分割型分割によるもの以外で一定のもの）または解散による残余財産の分配

（ニ）　自己の株式または出資の取得（市場における購入による取得等を除く）

【イメージ図】

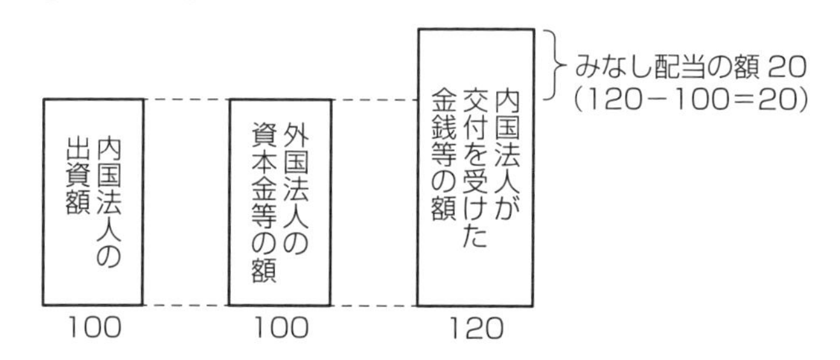

③　例外１（適用対象とならないみなし配当の額）（法法 23 の 2 ②二）

内国法人が取得した外国子会社株式を，その後，当該外国子会社が自己株式として取得した場合において，その自己株式の取得が前もって予定されていたものであるときは，当該自己株式の取得において生じるみなし配当の額については，本制度の適用はありません。

すなわち，株式を発行法人に対し譲渡した場合（言い換えると，発行法人が自己株式を取得した場合）には，株主においてみなし配当と株式譲渡損益が認識されますが，株式譲渡損は損金算入となる一方で，みなし配当の額は益金不算入となることから，税制上の損失を意図的に生じさせることが可能でした。そこで，このような租税回避行為に対処するため，平成 22 年度の税制改正において，当該行為により生じるみなし配当の額については本制度を適用しないこととされました。

④　例外２（適用対象とならない外国子会社における損金算入配当の額）（平成 28 年４月１日以降適用）（法法 23 の２②一）

（イ）　外国子会社において損金算入される配当等

内国法人が外国子会社から剰余金の配当等を受ける場合において，その配当等の額の全部または一部が外国子会社の本店所在地国の法令において，その外国子会社の課税所得の計算上，損金の額に算入することとされているときは，課税の空白が生じないように，その配当等の額は本制度の適用対象外とし，内国法人の各事業年度の所得の金額の計算上，益金の額に算入されます。

【外国子会社において損金算入される配当等】

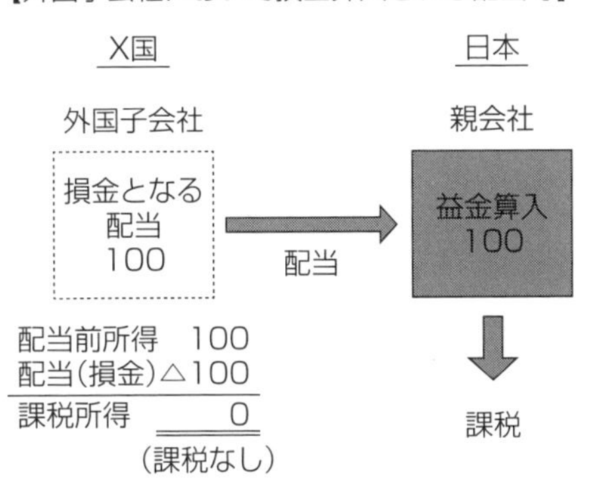

（ロ）　配当等の損金算入額が配当等の一部である場合の取扱い

（ｉ）　内容（法法 23 の２③）

内国法人が外国子会社から配当等を受ける場合において，外国子会社の課税所得の計算上，損金の額に算入された金額がその配当等の額の一部である場合には，その損金算入された額（※）のみを本制度の適用対象外とし，益金算入の対象額とすることができます。

※　具体的には，次の算式で計算した金額その他合理的な方法により計算した金額（損金算入対応受取配当等の額）となります。

内国法人が外国子会社から受けた剰余金の配当等の額 ×	分母の剰余金の配当等の額のうち外国子会社の所得の金額の計算上損金の額に算入された金額 / 内国法人が外国子会社から受けた剰余金の配当等の額の元本である株式または出資の総数または総額につき外国子会社により支払われた剰余金の配当等の額

【配当等の損金算入額が配当等の一部である場合の取扱い】

（原則）

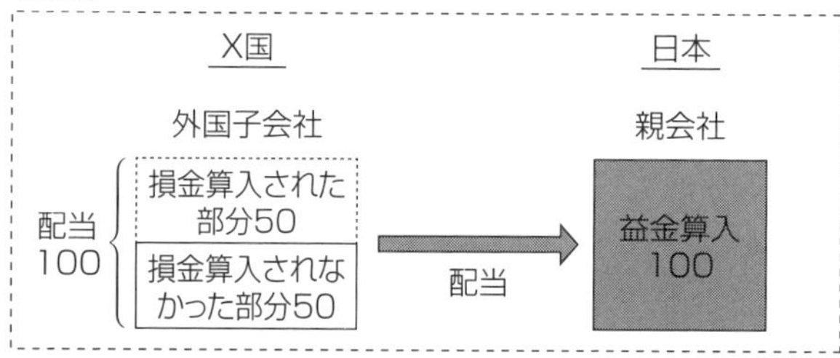

（配当等の損金算入額が配当等の一部である場合の特例）

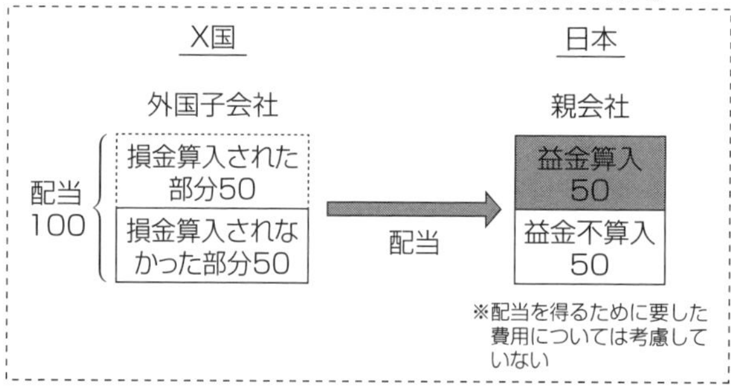

（ii） 損金算入額が増額された場合（法法23の2④）

上記（i）の適用を受けた事業年度後の各事業年度において，内国法人が外国子会社から受けた配当等の額につき，外国子会社の課税所得の計算上，その損金算入された額が増額された場合には，その増額された後の損金算入額(※)が本制度の適用対象外となり，内国法人の各事業年度の所得の金額の計算上，益金の額に算入する金額となります。

※　具体的には，次の算式で計算した金額その他合理的な方法により計算した金額となります。

$$\text{内国法人が外国子会社から受けた剰余金の配当等の額} \times \frac{\text{増額された後の，分母の剰余金の配当等の額のうち外国子会社の所得の金額の計算上損金の額に算入された金額}}{\text{内国法人が外国子会社から受けた剰余金の配当等の額の元本である株式または出資の総数または総額につき外国子会社により支払われた剰余金の配当等の額}}$$

（iii）　申告要件（法法23の2⑦）

上記（ｉ）は，次のＡおよびＢの要件を満たす場合に適用があります。

Ａ　確定申告書等にこの取扱いの適用を受けようとする旨ならびにその配当等の額およびその計算に関する明細を記載した書類を添付すること

Ｂ　以下ａ～ｅの書類を保存していること

ａ　外国子会社の所得の金額の計算上損金の額に算入された剰余金の配当等の額を明らかにする書類

ｂ　外国子会社の本店所在地国の法令により課される法人税に相当する税に関する申告書で上記ａの剰余金の配当等の額に係る事業年度に係るものの写し

ｃ　損金算入対応受取配当等の額の計算に関する明細を記載した書類

ｄ　外国子会社の剰余金の配当等の額に係る事業年度の貸借対照表，損益計算書および株主資本等変動計算書，損益金の処分に関する計算書その他これらに類する書類

ｅ　その他参考となるべき事項を記載した書類

（ハ） 外国税額控除

上記（イ）または（ロ）により本制度の適用対象外とされる（益金の額に算入される）。配当等の額に対して課される外国源泉税等の額については，外国税額控除の対象となります。

（ニ） 適用時期

上記（イ）～（ハ）は，平成 28 年 4 月 1 日以後に開始する事業年度において内国法人が外国子会社から受ける配当等の額について適用されています。

ただし，平成 28 年 4 月 1 日において有する外国子会社の株式等に係る配当等については，平成 28 年 4 月 1 日から平成 30 年 3 月 31 日までに開始する事業年度に受ける配当等の額につき，従前どおりの取扱い（後述のとおり，配当等の 95 %相当額が益金不算入となる取扱い）となります。

2. 益金不算入額

本制度により益金不算入となる金額は，内国法人が外国子会社から受ける剰余金の配当等の額から，その 5 %相当額を控除した金額となります。したがって，その剰余金の配当等の額の 95 %相当額が益金不算入となります。

5 %相当額を控除する理由は，外国子会社配当に係る間接的な経費を合理的に算定することが難しいことなどから，剰余金の配当等の額を獲得するための費用を個別に算定した金額を損金不算入とすることに代えて，みなし経費として，剰余金の配当等の額の一定割合（5 %）として計算した金額を益金不算入額から控除するためです。

3. 外国源泉税の取扱い

⑴ 外国源泉税等の額の損金不算入（法法 39 の 2）

本制度の適用を受ける場合において，その剰余金の配当等の額に対して外国子会社の所在地国において課される外国源泉税等の額は，その内国法人の各事業年度の所得の金額の計算上，損金の額に算入されません。

すなわち，外国子会社から受ける剰余金の配当等の額が益金の額に算入されないことから，その剰余金の配当等の額を獲得するために要した費用（直接費用）と考えられる外国源泉税等の額についても損金の額に算入されないこととなっています。

⑵ 外国源泉税等の額の外国税額控除制度の不適用（法令 142 の 2 ⑦三）

内国法人が本制度の適用対象となる外国子会社から受ける剰余金の配当等の額につき，その剰余金の配当等の額（本制度の適用対象とならないみなし配当の額等を除く）に対してその外国子会社の所在地国において課される外国源泉税等の額については，外国税額控除の適用はありません。

【外国源泉税の取扱い】

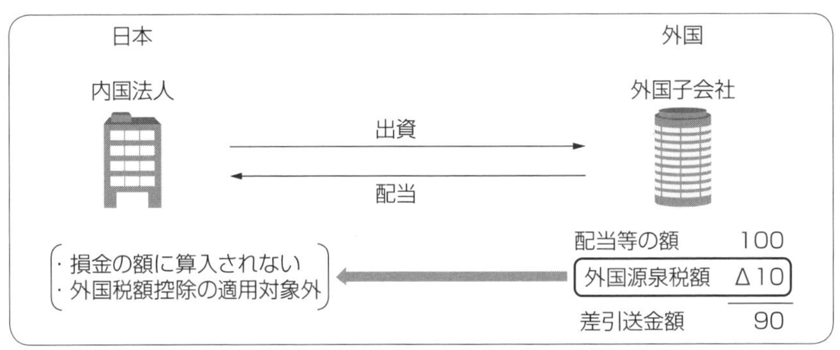

4. 申告要件（法法 23 の 2 ⑤⑥）

⑴ 原　則

本制度は，次の全ての要件を満たす場合に適用があり，益金不算入とされる金額は記載金額を限度とします。

申告要件		
①		確定申告書，修正申告書または更正請求書に益金の額に算入されない剰余金の配当等の額およびその計算に関する明細を記載した書類の添付があること
②		次のイ～ハの書類を保存していること
	イ	剰余金の配当等の額を支払う外国法人が外国子会社に該当することを証する書類（例えば，配当通知書や資本金の払込みを証する書類）
	ロ	外国子会社の剰余金の配当等の額に係る事業年度の貸借対照表，損益計算書および株主資本等変動計算書，損益金の処分に関する計算書その他これらに類する書類
	ハ	外国子会社から受ける剰余金の配当等の額に係る外国源泉税等の額がある場合には，その外国源泉税等の額を課された申告書の写し等および その外国源泉税等の額が既に納付されている場合には，その納付書等

⑵　例　外

上記⑴②イ～ハの書類の保存がない場合においても，その書類の保存がなかったことについてやむを得ない事情があると税務署長が認めるときは，本制度を適用することができます。

第5章

外国子会社合算税制（タックス・ヘイブン対策税制）

第1節　制度の概要

税負担が著しく低いまたは税が存在しない国や地域（以下「軽課税国」という。）に所在する子会社に利益を移転することによる租税回避に対処するため，軽課税国に所在する一定の外国子会社の所得を，その株主である日本親会社の所得に合算して課税する制度を外国子会社合算税制といいます（本制度，個人株主にも適用があるが，本書では法人株主に焦点を絞る）。

本制度の正式名称は「外国子会社合算税制」ですが，軽課税国をタックス・ヘイブン（Tax Haven）ということから，一般的に「タックス・ヘイブン対策税制」と呼ばれています。

第2節　適用対象

以下の全ての要件を満たす内国法人は外国子会社合算税制の適用対象となります。

1. 判定対象となる内国法人に係る外国法人が外国関係会社に該当すること
2. 内国法人が，外国関係会社の発行済株式等の10％以上を保有している，または実質支配していること

【外国子会社合算税制のフローチャート】

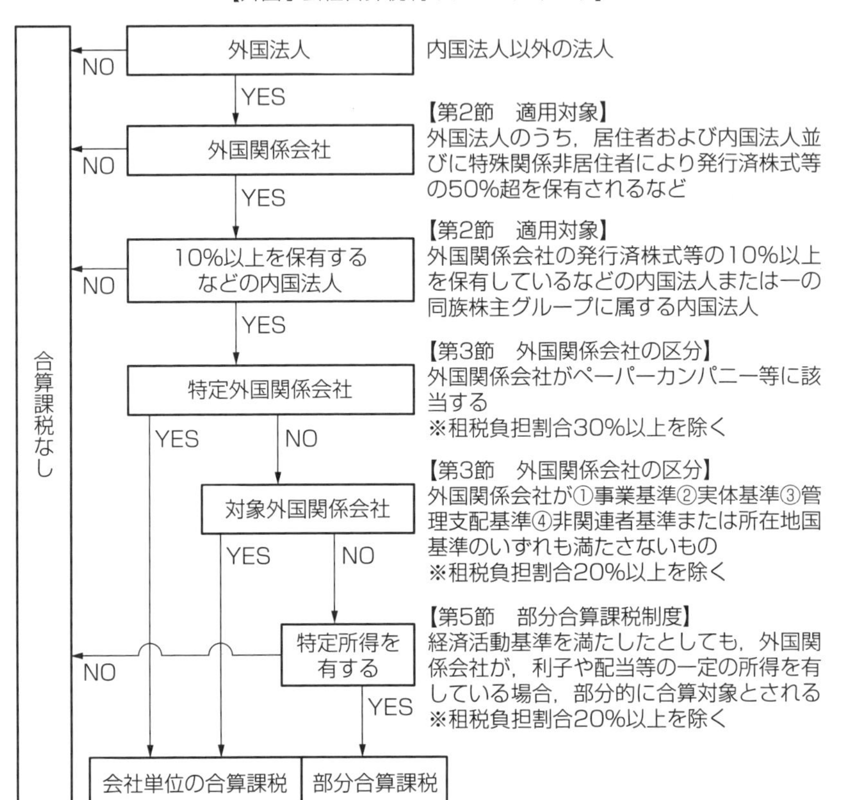

1. 判定対象となる内国法人に係る外国法人が外国関係会社に該当すること

外国関係会社とは，次に掲げる外国法人をいいます（措法66の6②一）。

① 居住者および内国法人ならびに特殊関係非居住者(※1)および②に掲げる外国法人が，その発行済株式等の50％超(※2)を保有する(※3)外国法人

② 居住者または内国法人との間に実質支配関係(※4)がある外国法人

※1 特殊関係非居住者とは，居住者の親族や内国法人の役員など，居住者や内国法人と特殊の関係にある非居住者をいいます。

※2　以下の①から③のうち，いずれか高い割合で判定します。

① 議決権の数が一個でない株式等を発行している場合には，議決権の総数のうちに保有議決権数の占める割合

② 外国法人が配当等の請求権の内容が異なる株式等を発行している場合には，請求権に基づく配当等の総額のうちに保有請求権に基づく配当等の額の合計額の占める割合

③ 株式等の保有割合

※3　株式等を直接的に保有している場合だけでなく，他の外国関係会社を通じて間接的に保有している場合も50％超の判定に含めます。

※4　実質支配関係とは，居住者または内国法人（以下「居住者等」という）と外国法人との間に次に掲げる事実等がある場合の居住者等と外国法人の関係をいいます。

ⅰ．居住者等が外国法人の残余財産のおおむね全部について分配を請求する権利を有している

ⅱ．居住者等が外国法人の財産の処分の方針のおおむね全部を決定することができる旨の契約その他の取決めが存在すること

【外国関係会社のイメージ図】

①50%超保有される場合

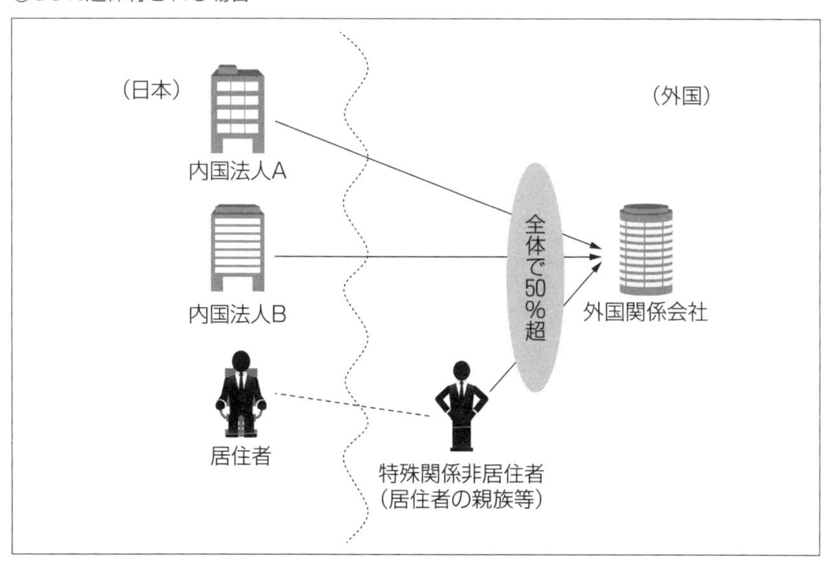

②実質支配関係がある場合

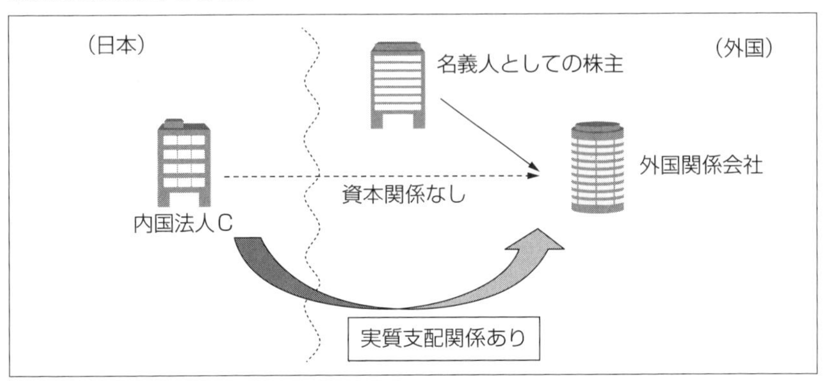

2. 内国法人が，外国関係会社の発行済株式等の10％以上を保有している，もしくは実質支配していること

内国法人が以下に該当する場合には，その内国法人に外国子会社合算税制が適用されます（措法66の6①一，二，三，四）。

① 内国法人が外国関係会社の発行済株式等の10％以上(※1)を保有(※2)，もしくは外国関係会社の発行済株式等の10％以上を保有する(※2)同族株主グループ(※3)に属している

② 外国関係会社との間に実質支配関係(※4)がある

③ 内国法人との間に実質支配関係がある外国関係会社が，他の外国関係会社の発行済株式等の10％以上(※1)を保有(※2)，もしくは他の外国関係会社の発行済株式等の10％以上を保有する(※2)同族株主グループ(※3)に属している。

※1 以下の①～③のうち，いずれか高い割合で判定します。

① 議決権の数が一個でない株式等を発行している場合には，議決権の総数のうちに保有議決権数の占める割合

② 外国法人が配当等の請求権の内容が異なる株式等を発行している場合には，請求権に基づく配当等の総額のうちに保有請求権に基づく配当等の額の合計額の占める割合

③　株式等の保有割合

※2　株式等を直接的に保有している場合だけでなく，他の外国法人を通じて間接的に保有している場合も10％以上の判定に含めます。

※3　同族株主グループとは，外国関係会社の株式等を保有する内国法人，その内国法人と特殊関係にある他の内国法人（その内国法人の子会社など）および居住者（それらの内国法人の役員など）をいいます。

※4　実質支配関係とは，居住者または内国法人（以下「居住者等」という）と外国法人との間に次に掲げる事実等がある場合の居住者等と外国法人の関係をいいます。

ⅰ．居住者等が外国法人の残余財産のおおむね全部について分配を請求する権利を有している

ⅱ．居住者等が外国法人の財産の処分の方針のおおむね全部を決定することができる旨の契約その他の取決めが存在すること

【納税義務者の範囲のイメージ】

①単独で10%以上を有する場合

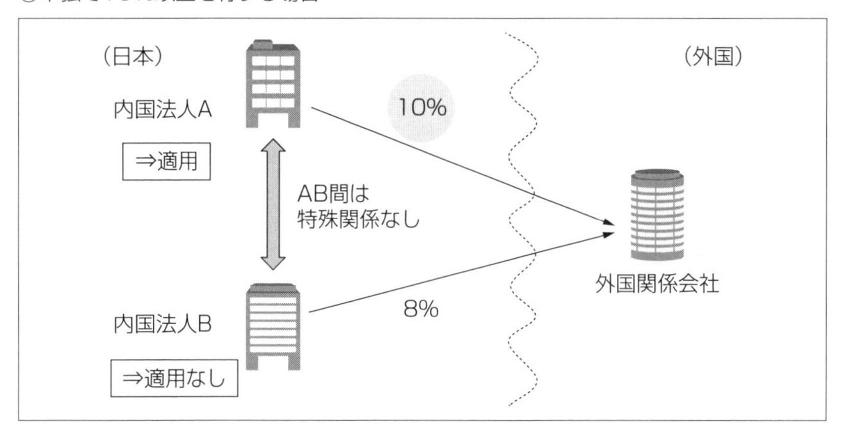

②同族株主グループで10%以上を有する場合

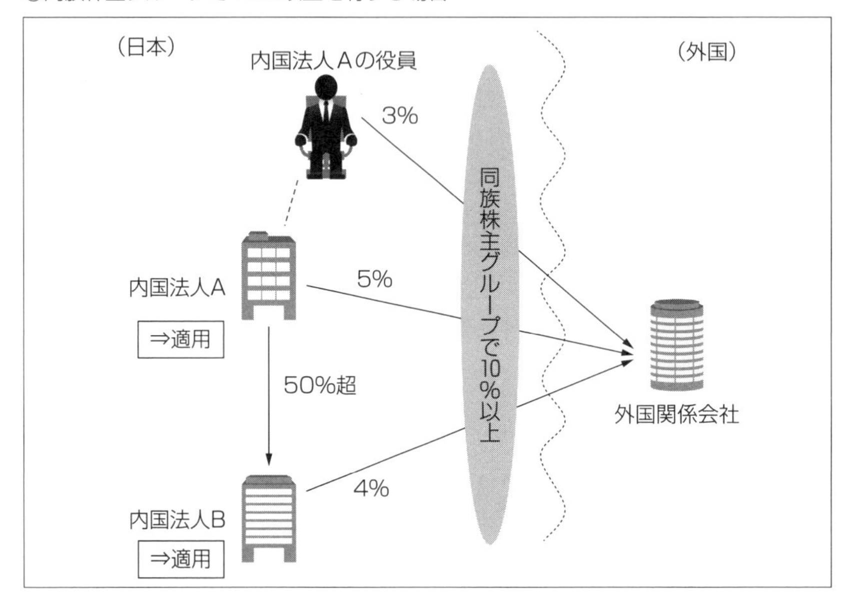

第3節　外国関係会社の区分

外国関係会社は，1. 特定外国関係会社，2. 対象外国関係会社，3. 部分対象外国関係会社のいずれかに区分されます。特定外国関係会社または対象外国関係会社に該当する場合には，その外国関係会社の全ての所得が合算課税の対象となります。この合算課税を「会社単位の合算課税」といいます。外国関係会社が部分対象外国関係会社に該当する場合には，外国関係会社の特定の所得のみが合算課税の対象となります。この合算課税を「部分合算課税」といいます。それぞれの外国関係会社の内容は以下のとおりです。

1．特定外国関係会社（措法66の6②二）

⑴　内容

以下（ア）（イ）（ウ）のいずれかに該当する外国関係会社をいいます。

【特定外国関係会社】

	区分	内容
(ア)	ペーパーカンパニー	次のいずれの基準も満たさない外国関係会社 ①　実体基準 主たる事業を行うために必要な固定施設を有している外国関係会社 ※賃借している固定施設でも可 ②　管理支配基準 本店所在地国等において，事業の管理，支配および運営を自ら行っている外国関係会社
(イ)	事実上のキャッシュボックス	次の両方の基準を満たす外国関係会社 ①　受動的所得基準 総資産額に対する一定の特定所得（第５節参照）の割合が30％を超える外国関係会社 ②　資産基準 総資産額に対する有価証券，貸付金，固定資産（貸付の用に供しているもの）等の割合が50％を超える外国関係会社
(ウ)	ブラックリストカンパニー	国際的な情報交換への協力が著しく不十分な国または地域に本店または主たる事務所を有する外国関係会社 ※対象国等は財務大臣が告示予定です（2018年８月末日現在未公表）。

(ア）ペーパーカンパニー

外国関係会社が事業活動を行うための固定施設を有さず，かつその管理支配を本店所在地国等で行っていない場合には，その外国関係会社は実体がないものとして会社単位の合算課税の対象となります。実体基準と管理支配基準はいずれか一方を満たせばよく，活動が行われている固定施設は本店所在地国以外に保有するものでも基準を満たすことができます。また，自己保有ではなく賃借しているものでも基準を満たすものとされています。

(イ）事実上のキャッシュボックス

能動的な事業を行っておらず，一定の特定所得（第５節参照（特定所得のうち異常所得は除く））の割合が高い外国関係会社について「事実上のキャッシュボックス」として会社単位の合算課税の対象となります。なお，総資産の額に対して一定の割合の有価証券等の額を有している場合に限るとされています。

（ウ）ブラックリストカンパニー

OECD・G20が公表する「ブラック・リスト」の掲載国・地域を参考に，財務大臣が告示する予定となっており，当該対象国・地域に所在する外国関係会社は合算課税の対象となります。

⑵ 免除規定（措法66の6⑤一）

⑴の特定外国関係会社に該当する場合においても，その特定外国関係会社の各事業年度の租税負担割合(※)が30％以上である場合には，その事業年度の特定外国関係会社の所得は合算課税の適用が免除されます。

※ 租税負担割合は以下の算式により計算されます（措令39の17の2）。

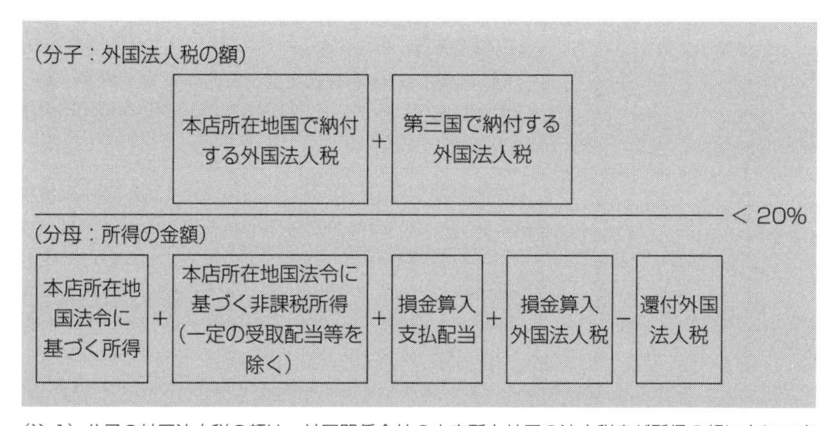

（注1）分子の外国法人税の額は，外国関係会社の本店所在地国の法人税率が所得の額に応じて高くなる場合には，最も高い税率であるものとして算定した外国法人税の額とすることができる。

（注2）外国関係会社の所得の金額がない場合または欠損の金額となる場合には，当該租税負担割合は，その行う主たる事業に係る収入金額から所得が生じたとした場合に，その所得に対して適用される本店所在地国の外国法人税の税率とする。

2．対象外国関係会社（措法66の6②三）

⑴ 内容

外国関係会社が次の経済活動基準（(ア）事業基準，（イ）実体基準，（ウ）管理支配基準，（エ）非関連者基準または所在地国基準）のいずれかの基準を満たさない場合には，対象外国関係会社に該当し，会社単位の合算課税の対象となります（1. の特定外国関係会社に該当する場合を除きます）。

【経済活動基準】

<table>
<tr><th colspan="2"></th><th>項目</th><th>内容</th></tr>
<tr><td colspan="2">（ア）</td><td>事業基準</td><td>主たる事業が株式の保有，工業所有権等の提供または船舶若しくは航空機の貸付等ではない（株式等の保有を主たる事業とするもののうち，統括業務を行うもの，および航空機の貸付を主たる事業とするもののうち実体のあるものを除く。）</td></tr>
<tr><td colspan="2">（イ）</td><td>実体基準</td><td>本店所在地国等において主たる事業を行うために必要な固定施設を有している</td></tr>
<tr><td colspan="2">（ウ）</td><td>管理支配基準</td><td>本店所在地国等において，事業の管理，支配および運営を自ら行っている</td></tr>
<tr><td rowspan="2">（エ）右記のいずれか</td><td>i</td><td>非関連者基準</td><td>主たる事業が卸売業，銀行業，信託業，金融商品取引業，保険業，水運業，航空運送業または物品賃貸業の場合：
親会社・子会社等の関連者以外の者との取引が全体の50％を超えている</td></tr>
<tr><td>ii</td><td>所在地国基準</td><td>主たる事業が上記の事業以外の場合：
主たる事業を主として本店所在地国等で行っている</td></tr>
</table>

外国関係会社が二以上の事業を営む場合には，いずれの事業が主たる事業であるか判定する必要がありますが，それぞれの事業の収入金額または所得金額の状況，使用人の数，固定施設等の状況を総合的に勘案してその判定を行います。

（ア）事業基準

外国関係会社の主たる事業が，株式等や債券の保有，工業所有権などの権利や著作権の提供または船舶・航空機の貸付に該当する場合には，事業基準を満たしません（ただし，主たる事業が株式等の保有であっても，「統括会社」の要件を満たす場合または主たる事業が航空機の貸付であっても事業実体があるものとして一定の基準を満たすものは事業基準を満たします)。

これらの事業は，日本においても十分行い得るものであり，その本店所在地国において事業を行うことに積極的な理由を見いだせないと考えられるためです。なお，事業の判定にあたっては，原則として日本標準産業分類（総務省）の分類を基準として判定を行います（措通66の6-17)。

（イ）実体基準

外国関係会社が，その本店等所在地国において主たる事業を行うために必要な固定施設（事務所，店舗，工場など）を有する必要があります。

外国関係会社が自ら固定施設を所有する必要はなく，賃借であっても実体基準を満たします（措通66の6-6)。必要と認められる固定施設の規模は業種業態によって異なるため，ケース・バイ・ケースで判断することになります。

（ウ）管理支配基準

外国関係会社の本店等所在地国において，その事業の管理，支配および運営を自ら行う必要があります。

管理支配基準の判定は，外国関係会社の株主総会および取締役会等の開催，事業計画の策定等，役員等の職務執行，会計帳簿の作成および保管等が行われている場所などを総合的に勘案して行います（措通66の6-8)。また，自ら事業の管理，支配および運営を行うとは，外国関係会社が，事業計画の策定を行い，その計画に従い裁量をもって事業を執行することであり，これらの行為の結果および責任が自らに帰属することをいいます（措通66の6-7)。

（エ）非関連者基準または所在地国基準

i．非関連者基準

外国関係会社の主たる事業が卸売業，銀行業，信託業，金融商品取引業，保険業，水運業，航空運送業または物品賃貸業の場合において，その事業の取引金額のうち，関連者（親会社や子会社等）以外の者と行う取引金額が50％を超えているとき（仕入または売上のいずれか一方でよい）は非関連者基準を満たします。そのため，逆に，外国関係会社が親会社や子会社とのみ取引しているような場合は，非関連者基準を満たしません（主たる事業が卸売業であっても「統括会社」の要件に該当する場合には，非関連者基準の判定上，「被統括会社」は関連者に含まれません)。

ⅱ．所在地国基準

外国関係会社の主たる事業が非関連者基準に掲げられている事業以外のものである場合には，その事業を主として本店等所在地国で行う必要があります。例えば，主たる事業が製造業であるならば，本店等所在地国において製造行為を行う（製造における重要な業務を通じて主体的に関与していると認められる場合も含まれます）ことが要件となります。

(2) 統括会社

昨今のわが国企業のグローバル展開においては，アジア，アメリカ，ヨーロッパなどの地域ごとに，その地域に所在する複数の現地子会社を統括する会社を置いて，グループ全体の経営の効率化，収益性の向上を図るケースが増えています。こういった統括会社は，グローバルに展開するわが国企業にとって重要な役割を有するものであるため，これらのものまで合算課税の対象とするのは，わが国企業の発展を阻害することになりかねません。そこで，統括業務を行う一定の統括会社については，経済活動基準に例外を認め，合算課税の対象から外すこととされています。

具体的には，統括会社は，経済活動基準のうち事業基準と非関連者基準について例外が認められています。

主たる事業が株式等の保有である外国関係会社は，原則として事業基準を満たさず合算課税の対象となりますが，当該外国関係会社が下記①（イ）～（ニ）の要件を満たす統括会社（事業持株会社）に該当する場合には，例外として事業基準を満たすこととされます。また，主たる事業が卸売業である外国関係会社は，原則として非関連者基準が適用されますが，この外国関係会社が統括会社（物流統括会社）に該当する場合には，非関連者基準の判定の際に，この外国関係会社の被統括会社が，関連者の範囲から除かれることとされています。

統括会社および被統括会社の要件は以下のとおりです。

①　統括会社（措令39の14の3⑧）

外国関係会社のうち，次の全ての要件を満たすものを統括会社といいます。

（イ）　一の内国法人により発行済株式等の100％を直接または間接に保有されている

（ロ）　複数の被統括会社（外国法人である二以上の被統括会社を含む場合に限る）に対して統括業務(※)を行っている

（ハ）　外国関係会社の本店等所在地国において統括業務に必要な固定施設（事務所，店舗など）および統括業務(※)に従事する者（役員を除く）を有している

（ニ）　主たる事業が株式等の保有であり，事業年度終了時にその外国関係会社が保有する被統括会社の株式等の帳簿価額の合計額が，その外国関係会社が保有する株式等の帳簿価額の合計額の50％超であり，かつ，下記（ⅰ）または（ⅱ）の要件を満たす会社

【統括会社，被統括会社のイメージ】

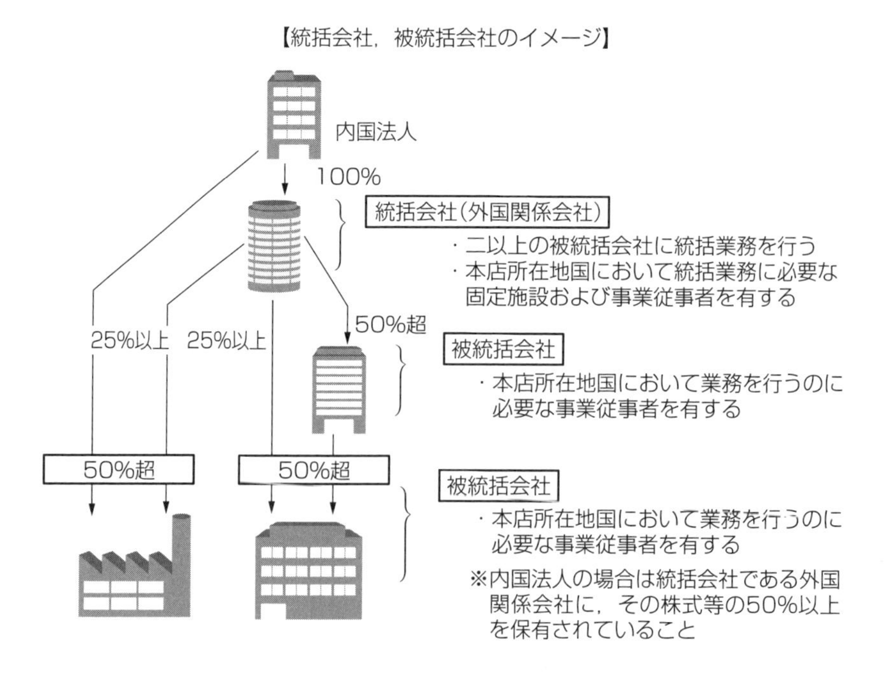

（ⅰ）　外国法人である被統括会社の株式等の帳簿価額の合計額が全ての被統括会社の株式等の帳簿価額の合計額の50％超である

（ⅱ）　外国法人である被統括会社に対して行う統括業務の対価の額の合計額が全ての被統括会社に対して行う統括業務の対価の額の合計額の50％超である

※　統括業務とは

外国関係会社が被統括会社との間における契約に基づき行う業務のうち，被統括会社の事業の方針の決定または調整に係るものであり，外国関係会社が二以上の被統括会社に係る当該業務を一括して行うことにより，被統括会社の収益性の向上に資すると認められるものをいいます。

②　被統括会社（措令39の14の３⑥）

被統括会社とは，次の全ての要件を満たす法人をいいます。

（イ）　統括会社である外国関係会社により，その発行済株式等および議決権の総数の25％以上（当該法人が内国法人の場合には50％以上）を保有されている

（ロ）　本店等所在地国において，その事業を行うために必要と認められる事業従事者を有している

（ハ）　統括会社である外国関係会社および内国法人等により，その発行済株式等または議決権の50％超を保有されている

③　判定（措令39の14の３㉒）

統括会社および被統括会社の判定は，外国関係会社の事業年度終了の時の現況により行います。

⑶　免除規定（措法66の６⑤二）

⑴の対象外国関係会社に該当する場合においても，その対象外国関係会社の各事業年度の租税負担割合（72ページの※参照）が20％以上である場合には，その事業年度の対象外国関係会社の所得は合算課税の適用が免除されます。

3．部分対象外国関係会社

⑴　内容

外国関係会社が1．の特定外国関係会社と2．の対象外国関係会社に該当しない場合，部分対象外国関係会社となり会社単位の合算課税の対象となりません。部分対象外国関係会社のうち経済実体のない所得のみを合算する部分合算課税の対象となります（第5節参照）。

⑵　免除規定（措法66の6⑩）

部分対象外国関係会社が次のいずれかに該当する場合には，部分対象外国関係会社のその該当する事業年度の特定所得（第5節参照）は合算課税の対象となりません。

イ）　各事業年度の租税負担割合（72ページの※参照）が20％以上であること

ロ）　各事業年度における合算課税の対象となる特定所得の金額が2,000万円以下であること

ハ）　各事業年度における合算課税の対象となる特定所得の金額が，当該事業年度の決算に基づく一定の所得の金額の5％以下であること

第4節　課税対象金額

1．算定方法（措法66の6①，措令39の14①②，措令39の15）

会社単位の合算課税の対象となる特定外国関係会社または対象外国関係会社の所得金額（「課税対象金額」）は，「適用対象金額」に，内国法人の株式等の保有割合等(※1)を乗じて計算した金額です。

「適用対象金額」は，「基準所得金額」から，当事業年度開始の日前7年以内に生じた欠損金額と当事業年度において納付すべき法人所得税の額を控除して計算します。

「基準所得金額」は，特定外国関係会社または対象外国関係会社の当事業年度の決算に基づく所得金額に本邦法令に基づき一定の調整を加えた金額に，当

事業年度において納付する法人所得税の額を加算し，当事業年度に還付を受ける法人所得税の額および当該特定外国関係会社または対象外国関係会社がその子会社等(※2)から受ける配当等の額（当該子会社等で損金算入となる配当等の額を除く）などを控除した残額です(※3)。

【適用対象金額と基準所得金額】

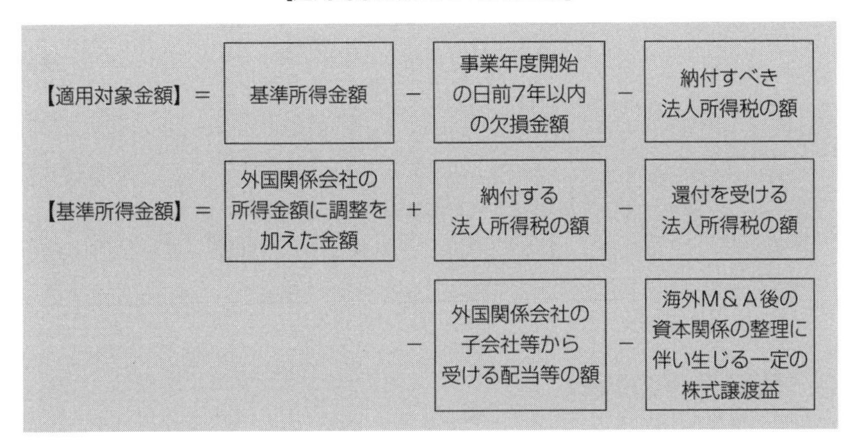

※1　以下の区分に応じてそれぞれ次に定める割合

①　内国法人が外国関係会社（居住者または内国法人に実質支配されているもの（以下，「被支配外国法人」という）を除く）の株式等を直接または他の外国法人を通じて間接に有している場合

外国関係会社の発行済株式等のうちに内国法人が直接および間接に保有する株式等の数または金額の占める割合（配当等の請求権の内容が異なる株式等を発行している場合には，請求権に基づく配当等の総額のうちに内国法人が直接および間接に保有する請求権に基づく配当等の額の合計額の占める割合）

②　外国関係会社が内国法人に係る被支配外国法人の場合

100％

③　内国法人に係る被支配外国法人が外国関係会社（被支配外国法人に該当するものを除く）の株式等を直接または他の外国法人を通じて間接に有している場合

外国関係会社の発行済株式等のうちにその内国法人に係る被支配外国法人が直接および間接に保有する株式等の数または金額の占める割合（配当等の請求権の内容が異なる株式等を発行している場合には，請求権に基づく配当等の総額のうちに内国法人が直接および間接に保有する請求権に基づく配当等の額の

合計額の占める割合)

④　上記①および③に該当する場合

①および③に定める割合を合計した割合

※2　次のいずれかに該当し，かつ，その状態が，その子会社から受ける配当等の額の支払義務確定日以前6月以上継続している場合におけるその子会社

①　発行済株式等のうちに特定外国関係会社または対象外国関係会社が保有する株式等の占める割合が25％以上である子会社

②　議決権のある株式等のうちに特定外国関係会社または対象外国関係会社が保有する議決権のある株式等の占める割合が25％以上である子会社

※3　本書では本邦法令を基礎として計算する方法を紹介していますが，代替方法として現地法令を基礎として計算する方法もあります。現地法令を基礎として計算する場合には，現地法令により計算された所得金額に，現地法令により非課税とされる所得金額，減価償却費のうち本邦法令により計算した場合に損金不算入となる金額，役員給与のうち本邦法令により計算した場合に損金不算入となる金額などを調整して基準所得金額を求めます。

2．所得合算の時期

課税対象金額は，外国関係会社の事業年度終了の日から2月を経過する日を含む内国法人の事業年度の所得に合算されます。

【所得合算時期のイメージ】

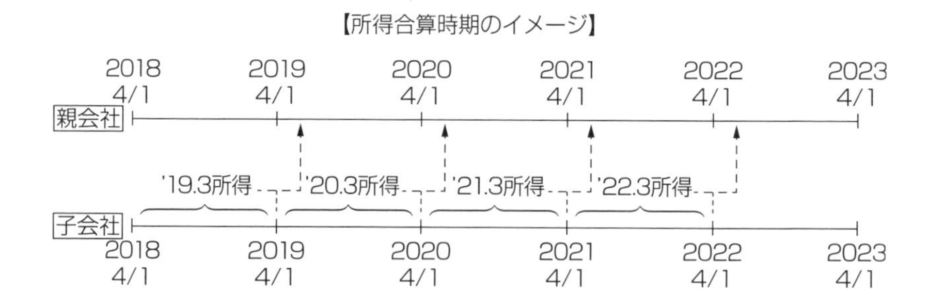

第5節　部分合算課税制度

1．内容（措法66の6⑥）

部分対象外国関係会社は，2．に掲げる特定の所得を有する場合には，その

所得の金額の合計額（以下「部分適用対象金額」という）に，内国法人の株式等の保有割合等(※1)を乗じて計算した金額（以下「部分課税対象金額」という）を，その内国法人の所得に合算します。

※1　以下の区分に応じてそれぞれ次に定める割合

①　内国法人が外国関係会社（居住者または内国法人に実質支配されているもの（以下，「被支配外国法人」という）を除く）の株式等を直接または他の外国法人を通じて間接に有している場合

外国関係会社の発行済株式等のうちに内国法人が直接および間接に保有する株式等の数または金額の占める割合（配当等の請求権の内容が異なる株式等を発行している場合には，請求権に基づく配当等の総額のうちに内国法人が直接および間接に保有する請求権に基づく配当等の額の合計額の占める割合）

②　外国関係会社が内国法人に係る被支配外国法人の場合

100％

③　内国法人に係る被支配外国法人が外国関係会社（被支配外国法人に該当するものを除く。）の株式等を直接または他の外国法人を通じて間接に有している場合

外国関係会社の発行済株式等のうちにその内国法人に係る被支配外国法人が直接および間接に保有する株式等の数または金額の占める割合（配当等の請求権の内容が異なる株式等を発行している場合には，請求権に基づく配当等の総額のうちに内国法人が直接および間接に保有する請求権に基づく配当等の額の合計額の占める割合）

④　上記①および③に該当する場合

①および③に定める割合を合計した割合

2．特定所得の金額

特定所得の金額は，次の①から⑥まで（以下「特定所得グループ①」という）の金額の合計額および⑦から⑪まで（以下「特定所得グループ②」）の金額の合計額を合計した金額です。特定所得グループ②の合計額が損失の場合には，特定所得グループ①の金額と通算できません。また，特定所得グループ②の過去７年以内に生じた欠損金額がある場合には特定所得グループ②の金額から控除します。

銀行業等を営む特定の部分対象外国関係会社については，特定所得の範囲は

別途の規定が定められています。

【特定所得の金額】

区分	番号	所得金額の種類	留意点
特定所得グループ①	①	剰余金の配当等の額－費用の額	持株割合25％以上(※)の株式等に係る配当等を除く ※一定の資源投資法人から受ける配当等は10％以上
	②	受取利子等の額－費用の額	業務の通常の過程で生ずる預貯金利子，一定の貸金業者が行う金銭の貸付けに係る利子，一定のグループファイナンスに係る利子を除く
	③	有価証券の貸付けの対価の額－費用の額	―
	④	固定資産の貸付けの対価の額－費用の額（償却費の額を含む）	本店所在地国において使用に供される固定資産の貸付けおよび本店所在地国において貸付業務を的確に遂行するための要件を満たす外国関係会社が行う貸付けによる対価を除く
	⑤	無形資産等の使用料－費用の額（償却費の額を含む）	自己開発等一定のものに係る使用料を除く
	⑥	一定の計算により算定される異常所得（資産，人件費，減価償却費の裏付けの無い所得）の額	一定の計算とは，利益の額－「①から⑤，⑦から⑪の所得の合計額」－「総資産の額，減価償却累計額および人件費の額の合計額の50％」

特定所得グループ②	⑦	有価証券の譲渡対価の額－原価の額－費用の額	持株割合 25 %以上の株式等に係る譲渡損益を除く
	⑧	デリバティブ取引に係る利益の額または損失の額	—
	⑨	外国為替の相場の変動により利益の額または損失の額	事業に係る業務の通常の過程で生ずる損益を除く
	⑩	無形資産等の譲渡対価の額－原価の額－費用の額	自己開発等一定のものに係るものを除く
	⑪	その他の金融所得の額	①から③，⑦から⑨の所得を生ずべき資産から生じる類似の所得（売買目的有価証券の評価損益など）

3．免除規定（措法 66 の 6 ⑩）

部分対象外国関係会社が次のいずれかに該当する場合には，部分対象外国関係会社のその該当する事業年度の特定所得は合算課税の対象となりません。

①　各事業年度の租税負担割合が 20 %以上であること

②　各事業年度における合算課税の対象となる特定所得の金額が 2,000 万円以下であること

③　各事業年度における合算課税の対象となる特定所得の金額が，当該事業年度の決算に基づく一定の所得の金額の５%以下であること

第６節　外国子会社合算税制と外国税額控除

内国法人が外国子会社合算税制の適用を受けた場合には，わが国と外国関係会社の本店等所在地国とで二重課税が生じることになります。その場合には，外国関係会社の所得に対して課される外国法人税の額のうち課税対象金額または部分課税対象金額に対応するものとして計算した金額を，当該内国法人が納付する外国法人税の額とみなして外国税額控除の規定を適用し，二重課税を調整します（措法 66 の 7）。

第7節　外国関係会社から受け取る配当の益金不算入

内国法人が外国子会社合算税制の適用を受け，その後，その外国関係会社から合算課税の対象となった金額を原資とする剰余金の配当等を受け取る場合には，合算課税と配当課税とで二重に課税されてしまいます。そこで，内国法人が外国関係会社から受ける剰余金の配当等の額のうち，特定課税対象金額に達するまでの金額を，当該内国法人の各事業年度の所得の金額の計算上，益金不算入とすることにより二重課税を調整します（措法66の8）。

特定課税対象金額とは，以下に掲げる2つの金額の合計額をいいます。

① 当該剰余金の配当等を受ける事業年度において，外国子会社合算税制の適用を受けた課税対象金額または部分課税対象金額に相当する金額

② 当該剰余金の配当等を受ける事業年度開始の日前10年以内に開始した各事業年度において，外国子会社合算税制の適用を受けた課税対象金額または部分課税対象金額に相当する金額（前10年以内の各事業年度において，本規定によりすでに益金不算入となった部分の金額を除く）

参考 平成30年3月31日以前開始事業年度の外国関係会社に係る外国子会社合算税制について

平成29年度税制改正において外国子会社合算税制は大幅に見直しが行われました。『BEPS（Pase Erosion and Profit Shifting）プロジェクトの最終報告書（行動13「外国子会社合算税制の強化（Designing Effective Controlled Foreign Company Rules）」）に関して，「外国子会社の経済実態に即して課税すべき」とのBEPSプロジェクトの基本的な考え方に基づき，日本企業の健全な海外展開を阻害することなく，より効果的に国際的な租税回避に対応するため』（「平成29年度税制改正の解説」），本改正は行われました。

本書は，税制改正後の制度（外国関係会社の平成30年4月1日以後開始事業年度から対象）をもとに解説を行っていますが，平成30年3月31日以前

開始事業年度の外国関係会社に係る外国合算税制については以下のとおり，取扱いが違います。

【平成 29 年度税制改正の主な改正点】

項目	改正前	改正後	備考
合算課税の適用対象となる内国法人の判定	・外国法人株式を直接・間接に 10％以上保有	・外国法人株式を直接・間接に 10％以上保有 ・外国法人の概ね全ての残余財産請求権を保有	・概ね全ての残余財産請求権を保有している場合，外国法人を実質的に支配しているものとして対象者に追加
所得が合算対象となる外国法人（外国関係会社）の判定	・日本の株主に発行済株式を直接・間接に 50％超保有されている ・間接保有割合は「掛け算方式」（子会社の保有割合×孫会社の保有割合）で算定	・日本の株主に発行済株式を直接・間接に 50％超保有されている ・間接保有割合は 50％超の連鎖を有する外国子会社の持分割合で算定 ・日本の株主に概ね全ての残余財産請求権を保有されている	・間接保有割合の計算が変更されたため，改正後は，外国法人との JV 等の場合に，パートナーの外国法人に日本居住者がいるかの確認のための事務負担が軽減される
会社単位での合算課税	外国関係会社の租税負担割合が 20％未満の場合に適用	外国関係会社の租税負担割合が 20％未満の場合に適用	・事務負担の軽減のため改正前と同様の判定を維持
会社単位の合算課税の適用除外規定	「適用除外基準」を満たす場合，独立した企業としての実体があり，所在地国で事業を行う合理性があるものとして，会社単位の合算課税の適用が免除	「経済活動基準」と改められ，「適用除外基準」の枠組みを維持しつつ，内容の一部見直し	・航空機リース業，保険業，来料加工等を行う製造業の適用除外規定が緩和

部分合算課税	④の規定を受けている場合であっても，経済的実体のない所得（資産性所得）は合算課税	・④の規定を受けている場合であっても経済的実体のない所得は合算課税 ・改正により経済的実体のない所得（受動的所得）の範囲が拡大	・経済的実体のない所得の範囲が拡大する
外国関係会社がペーパーカンパニー等の場合	特別な規定なし	租税負担割合が30％未満の場合，会社単位の合算課税が適用される	・ペーパーカンパニー等に対する課税が強化

第6章

移転価格税制

第1節　制度の概要

移転価格税制は，法人と国外にある親会社や子会社等の「国外関連者」との取引によって日本から所得が流出している場合（例えば，子会社からの仕入価格が過大であったり，子会社への販売価格が過少であるケースが該当する）に，その取引価格を独立した第三者との取引であれば成立したであろう取引価格（独立企業間価格）で行ったものとみなして課税するという制度です。国外関連者との取引において取引価格を恣意的に調整して，本来は内国法人の所得となるべき利益を取引相手である国外関連者に付け替えるような行為を防ぎ，日本からの所得流出を防ぐことを目的としています。

第2節　適用対象

1．適用対象者（措法66の4①）

移転価格税制の適用対象者は，法人です。内国法人だけでなく，日本にPEを有する外国法人も適用対象者になります。しかし，個人は適用対象者になりません。

2．適用対象取引（措法66の4⑤）

「国外関連者との資産の売買，役務の提供その他の取引」（国外関連取引）が，移転価格税制の適用対象になります。したがって，資本取引や寄附など，対価性のない取引は対象となりません。また，形式的には非関連者との取引であっても，以下の要件をいずれも満たす場合には国外関連取引とみなされ，移転価格税制の対象となります。

① 対象となる資産が国外関連者に販売等されることが契約等で決まっていること

② その販売等の対価の額が法人と国外関連者との間で実質的に決定されていること

第3節　国外関連者

移転価格税制における「国外関連者」は，外国法人のうち内国法人（日本にPEを有する外国法人を含む）と「特殊な関係」があるものをいい，特殊な関係とは以下のいずれかの関係をいいます。

(1) 50％以上の持株関係等がある関係（措令39の12一）

2つの法人のいずれか一方の法人が，もう一方の法人の発行済株式数または出資総額（以下，「発行済株式等」という）の50％以上を直接または間接に保有する関係をいいます。具体的には，内国法人が外国法人の株式を50％以上保有する場合や，外国法人が内国法人の株式を50％以上保有する場合等が該当します。

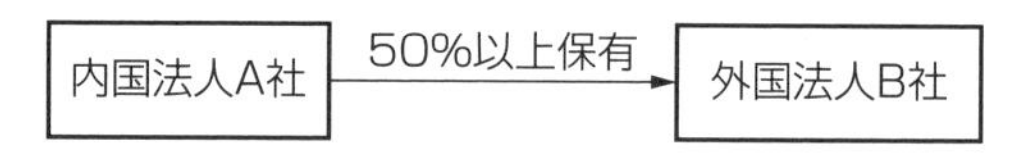

上記の例では，B社はA社の国外関連者となります。

(2) 親会社が同一である関係（措令39の12二）

2つの法人が，同一の者によってそれぞれの発行済株式等の50％以上を直接または間接に保有されている関係をいいます。具体的には，内国法人と外国法人が，別の法人によってその株式の50％以上を保有されているときの兄弟会社の関係等が該当します。

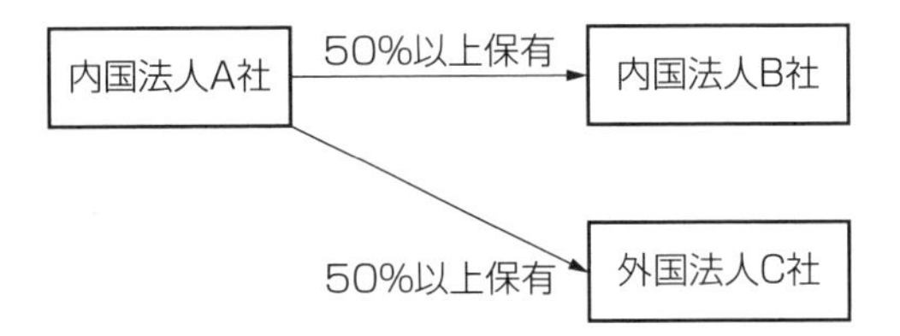

上記の例では，C社はA社・B社の国外関連者となります。

(3)　実質的支配がある場合（措令39の12三）

次に掲げるような事実により，2つの法人のいずれか一方の法人（A社）が，もう一方の法人（B社）の事業の方針の全部または一部について，実質的に決定できる関係をいいます。

（イ）　B社の役員の2分の1以上または代表権を持つ役員が，A社の役員もしくは使用人を兼務しているか，またはA社の元役員・元従業員であること(※)(措令39の12三イ)

（ロ）　B社が，その事業活動の相当部分をA社との取引に依存していること（措令39の12三ロ）

（ハ）　B社が，その事業活動に必要とされる資金の相当部分を，A社からの借入れによって調達していること（A社の保証を受けて金融機関等から借り入れる場合も含む）（措令39の12三ハ）

※　A社が自社の役員・従業員をB社に役員として出向・転籍させ，B社を実質的にコントロールしているような関係を想定しています。

(4)　(1)と(3)が連鎖している関係

上記の例では，A社とB社はともに内国法人の国外関連者となります。

⑸　⑵と⑶が連鎖している関係

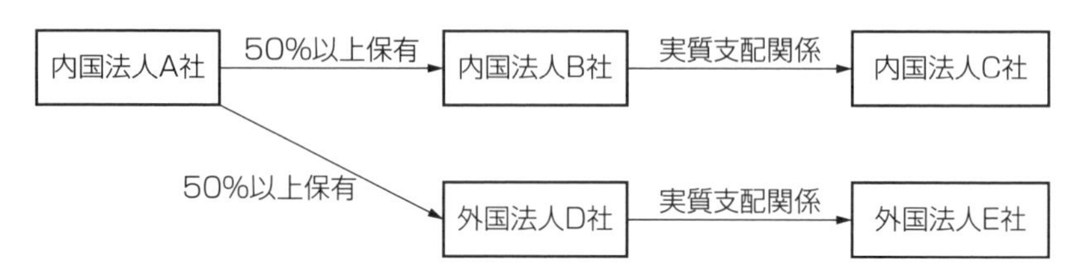

上記の例では，D社とE社は，A社・B社・C社の国外関連者になります。

第4節　独立企業間価格

独立企業間価格とは，独立した第三者との取引であれば成立したであろう取引価格をいいます。棚卸資産を売買する場合の独立企業間価格は，次の⑴～⑸に定める方法のうち，国外関連取引の内容，国外関連取引の当事者が果たす機能，その他の事情を勘案し，比較対象取引の有無等を検討した上で選定した最も適切な方法により算定した金額をいいます。

なお，下記のうち⑴～⑶の方法は「基本三法」と呼ばれます。棚卸資産の売買以外の取引である場合は，⑴～⑸と同等の方法により算定します。

⑴　独立価格比準法（CUP法）（措法66の4②一イ）

この方法は，国外関連取引と同種の棚卸資産を，特殊の関係にない売手と買手が，同様の取引条件で売買した場合（このような国外関連取引と比較可能な取引を「比較対象取引」という）の取引価格を独立企業間価格とする方法です。

ただし，国外関連取引と棚卸資産や取引条件等が一致している取引を発見するのは難しいため，取引条件等が一部異なる場合でも，その違いによる差異を調整できる場合には，その取引を比較対象取引としてよいことになっています。

独立価格比準法は，国外関連取引に係る価格と比較対象取引に係る価格を比較することから，独立企業間価格を最も直接的に算定できるという長所を有しています。したがって，独立価格比準法の比較可能性が十分である場合には，最も適切な方法の候補が複数あっても，独立価格比準法を選定することになります。その一方で，棚卸資産や役務の提供の内容について厳密な同種性が求められることから，適切な比較対象取引を見つけることが困難であり，差異の調整も容易ではないという問題点があります。

⑵　再販売価格基準法（RP 法）（措法 66 の４②一ロ）

この方法は，国外関連取引における買手がその棚卸資産を第三者に販売している場合に，その販売価格（再販売価格）をもとに独立企業間価格を逆算する方法です。具体的には，再販売価格から「通常の利潤」を差し引いた額を独立企業間価格と考えます。この場合の通常の利潤は，再販売価格にその比較対象取引における利益率（売上総利益率）を乗じて算出します。

【取引の例】

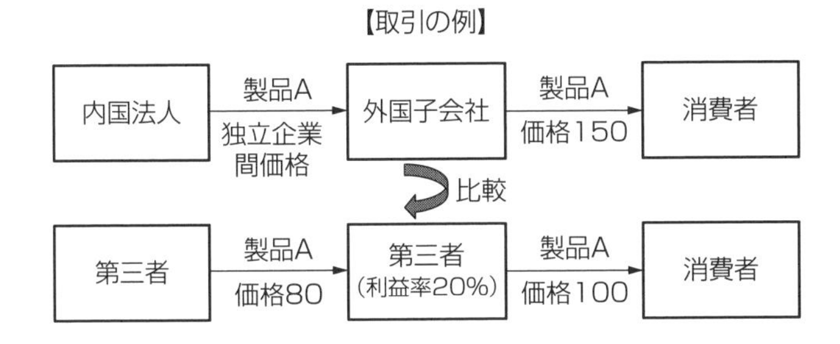

上記の例における通常の利益は，150 × 20 % = 30 となり，再販売価格 150 から通常の利益 30 を差し引いた 120 が独立企業間価格となります。

再販売価格基準法は，国外関連取引に係る売上総利益の水準と，比較対象取引における売上総利益の水準を比較する方法であり，独立価格比準法に次いで，独立企業間価格を直接的に算出できる利点があります。したがって，独立価格比準法を選定することはできないが再販売価格比準法の比較可能性が十分である場合には，最も適切な方法の候補が複数あっても再販売価格基準法を選定することになります。ただし，売上総利益の水準は，取引の当事者がどのような機能を果たしているかによって大きく左右されるため，独立価格比準法と同じように，比較対象取引を見つけにくいという問題点があります。

⑶　原価基準法（CP 法）（措法 66 の４②一ハ）

この方法は，国外関連取引に係る棚卸資産の取得原価の額をもとに独立企業間価格を計算する方法です。具体的には，その取得原価の額に通常の利潤の額を加えた額を独立企業間価格と考えます。この場合の通常の利潤は，その棚卸資産の原価の額に比較対象取引における利益率（マークアップ率）を乗じて算出します。

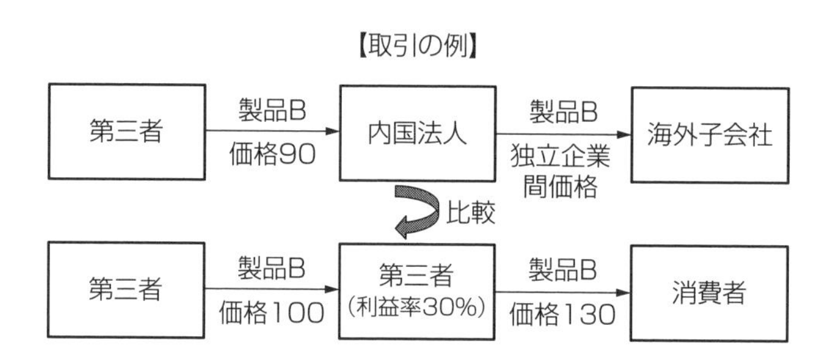

上記の例における通常の利益は，90×30％＝27となり，原価の額90に通常の利益27を加えた117が独立企業間価格となります。

原価基準法も，再販売価格基準法と同様に売上総利益の水準に着目して独立企業間価格を算出する方法であるため，再販売価格基準法と同じ利点と問題点を有します。したがって，独立価格比準法を選定することはできないが，原価基準法の比較可能性が十分である場合には，最も適切な方法の候補が複数あっても原価基準法を選定することになります。

⑷ 利益分割法（PS法）（措令39の12⑧一）

この方法は，国外関連取引に関する棚卸資産が第三者に販売されるまでを一連の取引と考え，その取引に関する利益を国外関連取引の売手と買手で分割することにより，独立企業間価格を算定する方法です。利益の分割方法には，比較対象取引における所得の配分割合で分割する「比較利益分割法」，支出費用の額等から推定した寄与度に応じて分割する「寄与度利益分割法」，重要な無形資産の価値を考慮する「残余利益分割法」があります。

利益分割法は基本三法と異なり，比較対象取引を見つけられない場合であっても独立企業間価格を計算できるという利点を有しています。その一方で，一連の取引に関する利益の計算や，適正な利益分割に必要な財務情報を入手できない場合には適用できません。

⑸　取引単位営業利益法（TNMM）（措令 39 の 12 ⑧二～五）

取引単位営業利益法は，国外関連取引に関する営業利益の水準と比較対象取引における営業利益の水準を比較する方法です。

上記⑴～⑶の方法は，棚卸資産の同種性や取引当事者の果たす機能の類似性を求められるため，公開情報から適正な比較対象取引の情報を得ることが難しく，実務上は採用できる場面が限定されてしまいます。これに対し，取引単位営業利益法は，取引条件等の影響を受けにくい営業利益を基本として独立企業間価格を算定する方法であり，公開情報から比較対象取引を発見できることなどから，独立企業間価格の算定実務において主流の方法となっています。

この方法は，どの営業利益の指標を用いるかで大きく３つの方法に区分されています。

①　売上高営業利益率を用いる方法（措令 39 の 12 ⑧二）

この方法は，国外関連取引の買手が独立した第三者に対して販売した価格（再販売価格）から，営業利益の額と販売管理費の額を差し引いて，独立企業間価格を計算する方法です。営業利益の額は，再販売価格に，比較対象取引に係る次の（イ）の金額が（ロ）の金額に占める割合（売上高営業利益率）を乗じて算出します。

（イ）　その棚卸資産の販売による営業利益の額

（ロ）　その棚卸資産の販売による収入金額

この方法による独立企業間価格は，以下の算式によって算出されます。

独立企業間価格＝再販売価格－（再販売価格×売上高営業利益率＋販売管理費）

【取引の例】

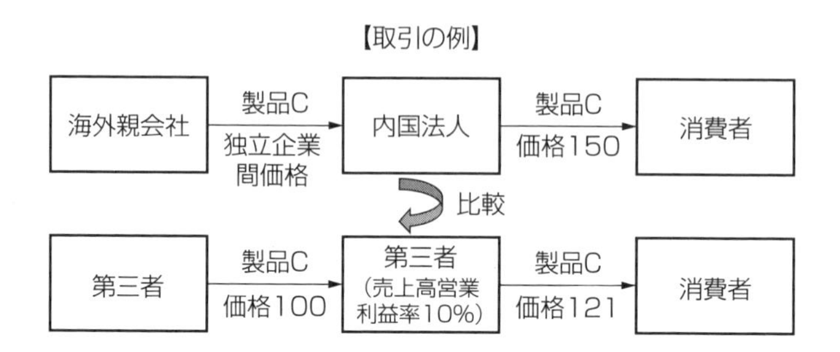

内国法人の販売管理費を10とすると，上記の設例では，150－(150×10％＋10)＝125が独立企業間価格となります。

② フルコストマークアップ率（総費用営業利益率）を用いる方法（措令39の12⑧三）

この方法は，比較対象取引に係る「総費用営業利益率」を用いて適正な営業利益の額を計算し，これを国外関連取引の売手の取得原価に加えることで，独立企業間価格を計算する方法です。総費用営業利益率とは，次の（イ）の金額が（ロ）の金額に占める割合をいいます。

（イ） その棚卸資産の販売による営業利益の額

（ロ） その棚卸資産の販売による収入金額－(イ)

この方法による独立企業間価格は，以下の算式によって算出されます。

独立企業間価格=取得原価+販売管理費+(取得原価+販売管理費)×総費用営業利益率

【取引の例】

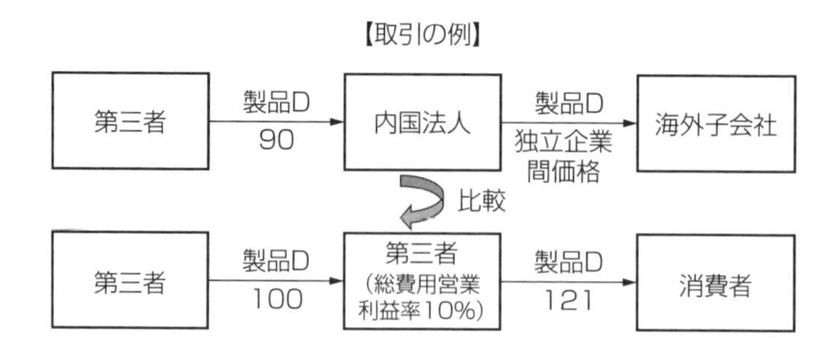

内国法人の販売管理費を10とすると，上記の例では，90＋10＋(90＋10)×

10％＝110が独立企業間価格となります。

③　ベリー比（営業費用売上総利益率）を用いる方法（措令39の12⑧四・五）

この方法は，比較対象取引に係る「営業費用売上総利益率（ベリー比）」を用いて独立企業間価格を計算する方法です。

なお，ベリー比とは，次の（イ）の金額が（ロ）の金額に占める割合をいいます。

（イ）　営業利益の額＋販売費および一般管理費

（ロ）　販売費および一般管理費

独立企業間価格の算定方法は，国外関連取引が棚卸資産の購入の場合と販売の場合でそれぞれ規定されています。

●国外関連取引が棚卸資産の購入の場合

独立企業間価格は，以下の算式によって算出します。

独立企業間価格＝買手の再販売価格－（買手の販売管理費×ベリー比）

●国外関連取引が棚卸資産の販売の場合

独立企業間価格は，以下の算式によって算出します。

独立企業間価格＝売手の取得原価＋（売手の販売管理費×ベリー比）

(6)　独立企業間価格の算定方法の選定について

独立企業間価格の算定方法を選定する作業は，以下のように進められます。

イ　資本関係・事業内容を記載した書類を参考に，その法人と国外関連者の事業内容を検討する。

ロ　以下のポイントを中心に，国外関連取引の内容を検討する。

（イ）国外関連取引に係る資産の種類，役務の内容

（ロ）その法人と国外関連者が果たす役割

（ハ）国外関連取引に係る契約条件

（ニ）国外関連取引に係る市場の状況

（ホ）その法人と国外関連者の事業戦略

ハ　内部の非関連者間取引および外部の非関連者間取引に係る情報源を検討する。

ニ　比較対象取引の候補となる取引の有無を検討するとともに，以下のポイントを考慮して，各算定方法の適用可能性を検討する。

（イ）各算定方法の長所・短所

（ロ）国外関連取引の内容に対する各算定方法の適合性

（ハ）比較対象取引の選定に必要な情報の入手可能性

（ニ）国外関連取引と非関連者取引の類似性の程度・比較可能性

ホ　上記の検討結果に基づいて，最も適切な方法を選定する。

なお，独立企業間価格は，必ずしも1つしか存在しないわけではありません。例えば，十分に比較可能性のある取引が複数存在することにより，独立企業間価格に幅が生じることもあります。この場合において，問題となっている国外関連取引の対価の額がその幅の中にある場合には，移転価格税制の対象にはならないとされています。

第5節　国外関連者に対する寄附金の損金不算入制度との関係

法人が各事業年度において支出した寄附金のうち，国外関連者に対するものは，その法人の各事業年度の所得の計算上，損金の額に算入しないこととされています（措法66の4③)。この制度を「国外関連者に対する寄附金の損金不算入」といいます。

移転価格税制が適用された場合は，相手国の当局に相互協議を申し立てることで国際的二重課税を排除できる可能性がありますが，国外関連者に対する寄附金の損金不算入制度の適用となった場合には，一般に相互協議ができず国際的二重課税の解消は難しくなります。

移転価格税制が適用されるケースと，国外関連者に対する寄附金の損金不算入制度が適用されるケースの境界は一部あいまいですが，例えば次のような事実があり，実質的に贈与等に該当すると認められる場合には，移転価格税制ではなく，国外関連者に対する寄附金の損金不算入の規定が適用されます。

①　法人が国外関連者に対して無償で資産の販売等を行い，収益を計上していないとき

②　法人が国外関連者から支払われるべき対価のうちに，実質的に資産の贈与等と認められる金額があるとき

③　法人が国外関連者に支払う対価のうちに資産の贈与等と認められる金額があるとき

【具体例】

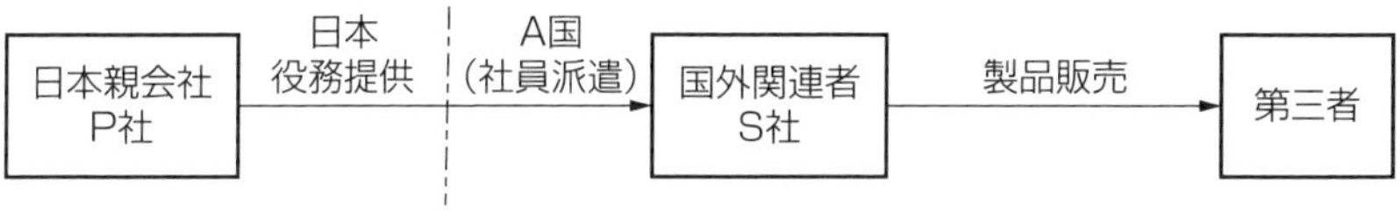

日本親会社
P社
日本
役務提供
A国
（社員派遣）
国外関連者
S社
製品販売
第三者

＜前提条件＞

・内国法人Ｐ社は製品の製造販売会社であり，Ａ国に製造販売会社Ｓ社を設立した。

・Ｐ社は自社の社員をＳ社に派遣し，Ｓ社従業員の指導を行っているが，Ｓ社の経営が安定するまでの間は，派遣に伴う役務提供の対価を請求しない予定である。

上記の設例において，Ｐ社がＳ社を財政的に支援する目的で，本来は収受すべき対価を請求しない旨の契約を締結しているときは，当該役務提供はＳ社に対する経済的利益の無償供与に該当し，「国外関連者への寄附金の損金不算入制度」の対象になります。これに対して，Ｐ社がＳ社に対する支援を親会社としての責務と考え，そもそも役務提供に係る契約をＳ社と締結していない場合には，Ｐ社がＳ社に対して行う業務に対価性があるかどうかを検討し，「国外関連者への寄附金の損金不算入制度」の対象にすべきか，移転価格税制の適用を検討すべきか，判定することになります。

第6節　移転価格税制に係る文書化制度

多国籍企業グループがグループ間の国際取引を利用して課税逃れを行っている問題（BEPS）に対処するため，OECD租税委員会は2012（平成24）年6月にBEPSプロジェクトを立ち上げ，国際課税ルールの見直しを行ってきました。そのプロジェクトの最終報告書が2015（平成27）年10月に公表され，多国籍企業の透明性を向上させることを目的として，共通様式（ローカルファイル，マスターファイル，国別報告書）による多国籍企業グループの情報報告制度の構築に関する勧告がなされました。

この勧告を受け，日本でも平成28年度税制改正により，移転価格税制に係る文書化制度が導入されました。

1．OECD移転価格ガイドラインの改訂

OECD移転価格ガイドラインとは，OECD（経済協力開発機構）租税委員会が策定する移転価格税制に関する国際的な指針です。

例えば，現行の日米租税条約では，移転価格課税にあたっては，国際的なコンセンサスを反映している移転価格ガイドラインに従って企業の移転価格の調査を行い，および事前価格の取決めの申請を審査するものとされています。

BEPSプロジェクトによる検討項目は全部で15項目あり，本節のテーマである「移転価格税制に係る文書化制度」に関しては，行動計画13（多国籍企業の企業情報の文書）において勧告がなされています。この勧告を受け，2017年7月にOECD移転価格ガイドラインも改訂され，第5章「文書化」については，下記の通り改訂されました。

第5章　文書化

A．序文

B．移転価格文書化要請の目的

C. 移転価格文書の三層構造アプローチ

D. コンプライアンス事項

E. 実施

E.1. マスターファイル及びローカルファイル

E.2. 国別報告事項（CbC レポート）

なお,「B. 移転価格文書化要請の目的」には, 以下の内容が示されています。

① 納税者が関連者間取引における適切な価格と条件を設定し, 適切な税務申告をすることを確保する。

② 税務当局によるリスク評価を実施する際に必要となる情報を提供する。

③ 税務当局による税務調査を適切に実施するために使用する有益な情報を提供する。

これらの目的を達成するためには, 各国が共通の認識のもとで移転価格文書化を進める必要があり, OECD は, 各国に対して立法措置の導入を提言しています。

2. 3種類の文書

上述の通り, 平成28年度税制改正により「移転価格税制に係る文書化制度」が導入され,「国別報告事項（CbC レポート）」「事業概況報告事項（マスターファイル）」「移転価格分析報告書（ローカルファイル）」の3種類の移転価格文書の作成・保存が義務付けられました（これを同時文書化義務という）。

(1) 国別報告事項（CbC レポート）

① 概要および条文の整理

項目	条文	内容
概要	措法66の4の4	特定多国籍企業グループの構成会社等である内国法人（最終親会社等または代理親会社等に該当するものに限る）は, 当該特定多国籍企業グループの各最終親会計年度に係る国別報告事項を, 当該各最終親会計年度終了の日の翌日

		から1年以内に，財務省令で定めるところにより，特定電子情報処理組織を使用する方法により，所轄税務署長に提供しなければならない。
適用時期	—	平成28年4月1日以後開始する最終親会社等の会計年度分
用語の意義	措法66の4の4④各号	「特定多国籍企業グループ」 　多国籍企業グループのうち，直前の最終親会計年度における多国籍企業グループの総収入金額として財務省令で定める金額が1,000億円以上であるものをいう。 「構成会社等」 　企業グループの連結財務諸表にその財産および損益の状況が連結して記載される会社等をいう。 「最終親会社等」 　企業グループの構成会社等のうち，その企業グループの他の構成会社等の財務および営業または事業の方針を決定する機関を支配しているものとして政令で定めるものであって，その親会社等がないものをいう。 「代理親会社等」 　特定多国籍企業グループの最終親会社等以外のいずれか一の構成会社等で，当該特定多国籍企業グループの国別報告事項またはこれに相当する事項を当該構成会社等の居住地国の租税に関する法令を執行する当局に提供するものとして当該最終親会社等が指定したものをいう。
報告事項	措規22の10の4①	居住地国ごとの収入金額，税引前当期利益の額，納付税額，発生税額，資本金の額または出資金の額，利益剰余金の額，従業員の数および有形資産の額 　居住地国等ごとの当該構成会社等の名称，当該構成会社等の居住地国と本店または主たる事務所の所在する国および当該構成会社等の主たる事業の内容
罰則	措法66の4の4⑦	正当な理由がなく，国別報告事項をその提供の期限までに税務署長に提供しなかった者は，30万円以下の罰金に処する。
使用言語	—	英語
提出方法	—	e-tax

②　使用目的

国別報告事項の目的は，多国籍企業グループの移転価格リスク評価のための概要情報を各国税務当局に提供することにあります。

③　条約方式および子会社方式

国別報告事項は，最終親会社の所在地国において提出され，租税条約等に基づく自動情報交換制度により，構成会社等の居住地国の税務当局にも情報が共有されることとなります（条約方式）。

ただし，以下のイ～ハのいずれかに該当するような場合には，自動的に情報交換がなされないことから，子会社所在地国の税務当局は，例外的に自国の子会社に国別報告書の提出を求めること（子会社方式）が認められています。

イ．　最終親会社等の居住地国（租税条約等の相手国等に限る）において，報告対象となる会計年度に係る国別報告事項に相当する事項の提供を求めるために必要な措置が講じられていない場合

ロ．　財務大臣と最終親会社等の居住地国の権限ある当局との間の適格当局間合意(※)がない場合

ハ．　報告対象となる会計年度終了の日において，最終親会社等の居住地国が，国別報告事項に相当する情報の提供をわが国に対して行うことができないと認められる場合におけるその国・地域として国税庁長官が指定する国・地域に該当する場合

※　適格当局間合意：国別報告事項等を相互に提供するための財務大臣とわが国以外の国・地域の権限ある当局との間の国別報告事項等の提供方法等に関する合意（当局間合意）で，報告対象となる会計年度終了の日の翌日から１年を経過する日において現に効力を有するもの

④　留意点

提供された情報は，原則として，租税条約等の情報交換の枠組みを通じて，多国籍企業グループの居住地国の各税務当局と共有されることとなります。他国で提出される報告事項を把握し，他の移転価格文書（ローカルファイル，マスターファイル）の記載内容を十分に理解したうえで，国別の利益率および損益

のバランスが適正に保たれているかを確認する必要があると考えられます。

⑤　最終親会社等届出事項

国別報告事項の提出期限は，多国籍企業グループの最終会計年度の終了の日の翌日から１年以内とされており，税務当局が実態を把握するのに一定の期間を要します。そこで，国別報告事項の提供義務者を早期に，かつ，適切に把握することを目的として，特定多国籍企業グループの各最終親会計年度に係る「最終親会社等届出事項」を最終親会計年度終了の日までに，所轄税務署長に提出する必要があります。

項目	条文	内容
概要	措法66の4の4⑤	特定多国籍企業グループの構成会社等である内国法人または当該構成会社等である恒久的施設を有する外国法人は，当該特定多国籍企業グループの各最終親会計年度に係る最終親会社等届出事項を，当該各最終親会計年度終了の日までに，特定電子情報処理組織を使用する方法により，当該内国法人にあってはその本店または主たる事務所の所在地，当該外国法人にあってはその恒久的施設を通じて行う事業に係る事務所の所在地の所轄税務署長に提供しなければならない。
適用時期	—	平成28年４月１日以後開始する最終親会社等の会計年度分
報告事項	措規22の10の4⑨	○最終親会社等の居住地国が日本である場合 ・当該最終親会社等の名称 ・本店または主たる事務所の所在地 ・法人番号 ・代表者の氏名 ○最終親会社等の居住地国が外国である場合 ・当該最終親会社等の名称 ・本店若しくは主たる事務所の所在地またはその事業が管理され，かつ，支配されている場所の所在地 ・法人番号 ・代表者の氏名
提出方法	—	e-tax

最終親会社等の居住地国が外国であることにより，日本において国別報告書の提出義務が課されていない法人であっても，特定多国籍企業グループの構成会社等である内国法人または当該構成会社等である恒久的施設を有する外国法人に該当する場合には，最終親会社等届出事項を提出しなければならない点に注意が必要です。

(2)　事業概況報告書（マスターファイル）

①　概要および条文の整理

項目	条文	内容
概要	措法66の4の5	特定多国籍企業グループの構成会社等である内国法人または当該構成会社等である恒久的施設を有する外国法人は，当該特定多国籍企業グループの各最終親会計年度に係る事業概況書を，当該各最終親会計年度終了の日の翌日から１年以内に，財務省令で定めるところにより，特定電子情報処理組織を使用する方法により，所轄税務署長に提供しなければならない。
適用時期	―	平成28年４月１日以後開始する最終親会社等の会計年度分
用語の意義	―	国別報告事項と同じ
報告事項	措規22の10の5①各号	・グループ組織図 ・事業等の概況 ・無形資産 ・資金の調達方法　等
罰則	措法66の4の5③	正当な理由がなく，事業概況報告事項をその提供の期限までに税務署長に提供しなかった者は，30万円以下の罰金に処する。
使用言語	―	日本語または英語
提出方法	―	e-tax

②　使用目的

マスターファイルを作成する目的は，税務当局が多国籍企業グループの重要な移転価格リスクを把握できるようにグループ全体の概要を提供することにあります。

③ 留意点

マスターファイルの詳細な記載内容については規定されておらず，詳細な内容は納税者に委ねられています。そのため，どのような内容をどこまで記載するかを他の移転価格文書との整合性等に留意しながら決める必要があります。

⑶ 移転価格分析報告書（ローカルファイル）

① 概要及び条文の整理

項目	条文	内容
概要	措法66の4⑥	法人が，当該事業年度において，当該法人に係る国外関連者との間で国外関連取引を行った場合には，当該国外関連取引に係る第1項に規定する独立企業間価格を算定するために必要と認められる書類として財務省令で定める書類を，当該事業年度の法人税申告書の提出期限までに作成し，または取得し，財務省令で定めるところにより保存しなければならない（これを「同時文書化義務」という）。
適用時期	—	平成29年4月1日以後開始する事業年度分
作成書類	措規22の10②各号	○　国外関連取引の内容を記載した書類 ・資産および役務の内容 ・機能およびリスク ・使用した無形資産 ・契約関係 ・取引価格の設定，事前確認等の状況 ・損益の明細，損益の額の計算過程 ・市場の状況 ・事業内容，事業方針および組織の系統 ・密接に関連する他の取引の有無 ○　国外関連取引に係る独立企業間価格を算定するための書類 ・選定した独立企業間価格の算定方法および選定理由 ・比較対象取引の選定に係る事項 ・利益分割法を用いた場合の計算書類 ・複数取引を一の取引とした場合の合理性

		・差異の調整
同時文書化義務の免除	措法66の4⑦	一の国外関連者との間で行った国外関連取引が，次のいずれにも該当する場合には同時文書化義務が免除される。 ・一の国外関連者との間の前事業年度の取引金額が50億円未満 ・一の国外関連者との間の前事業年度の無形資産取引金額が3億円未満
推定課税および同業者調査	（推定課税） 措法66の4⑧⑨ （同業者調査） 措法66の4⑪⑫	同時文書化対象国外関連取引に係る独立企業間価格を算定するために必要と認められる一定の書類の提出を求められた際において，その日から45日を超えない範囲で，調査官が指定した日（提出書類の準備等に通常要する日数を勘案して決定）までに提出しなかった場合，推定課税および同業者調査が実施される。 ※独立企業間価格を算定するために**重要**と認められる書類については，60日以内の調査官の指定する日まで ※同時文書化**免除**取引においても，独立企業間価格を算定するために重要と認められる書類の提出を求められた場合には，60日以内の調査官の指定する日までに当該書類を提出しなければならない（9項・12項）。
罰則	措法66の4⑯	次に該当する者は，30万円以下の罰金に処する。 ・同業種調査の規定による，調査官の質問に対して答弁せず，若しくは偽りの答弁をし，またはこれらの検査を拒み，妨げ，若しくは忌避した者 ・同業種調査の規定による，帳簿書類の提示または要求に対し，正当な理由なくこれに応じず，または偽りの記載若しくは記録をした帳簿書類を提示した者
使用言語	―	指定なし

②　使用目的

ローカルファイルを作成する目的は，個々の関連者取引に関する詳細な情報を提供することにあります。従来からローカルファイルと同様の文書の作成が要求されており，ローカルファイルの作成に関しては，平成28年度の改正によって新たに設置された規定ではありません。

改正前は，ローカルファイルの提出については，「遅滞なく」という文言に止まっていましたが，上表に記載の通り，提出期限が指定されることとなりました。

当該提出期限までに提出できない場合には，下記の推定課税および同業者調査が発動されることとなります。

③　推定課税および同業者調査

Ⅰ．推定課税

税務署長は，国外関連取引に係る事業と同種の事業を営む法人で事業規模その他の事業の内容が類似するものの当該事業に係る売上総利益若しくはこれに準ずる割合を基礎とした再販売価格基準法若しくは原価基準法またはこれらと同等の方法を用いて算定した金額を独立企業間価格と推定して，更正または決定をすることができることとされています。

Ⅱ．同業者調査

税務職員は，国外関連取引に係る独立企業間価格を算定するために必要があるときは，その必要と認められる範囲内において，当該法人の国外関連取引に係る事業と同種の事業を営む者に質問し，当該事業に関する帳簿書類を検査し，または当該帳簿書類の提示を求めることができるとされています。

3．実務における留意点

(1)　税務調査および執行

国税局の調査部には，移転価格税制の執行を専門に担当する部署が設置されており，約160名の職員が所属していると言われています（2017（平成29）年6月現在）。

移転価格調査は，機能リスク分析や比較対象取引の選定など法人税調査とは異なるプロセスがあるため，通常の税務調査と比べて長期間を要する傾向にあります。実務上は，調査着手後2年以内の終了を目安としながらも，取引の複雑さや提示資料の不明確さによって，調査が当初の予定よりも長期間に及ぶこともあります。

移転価格調査対応に多くの時間を費やすことなった場合には，本来の業務に支障をきたす可能性もあるため，調査の初期段階から合理的に説明できような資料を整備しておくことが重要となります。

⑵　従来の文書化制度との違い

従来，日本では移転価格の同時文書化は義務付けられておらず，マスターファイルおよび国別報告書に関しては，制度自体がないという状況でした。

実際に，多国籍企業グループであっても，各国で異なる文書化対応が行われていたことから，他国で提出される報告事項との整合性を考慮した実務は行われていませんでした。しかし，マスターファイルと国別報告書の提出が義務付けられたことにより，多国籍企業グループの利益配分が容易に測定できることとなるため，３種類の文書が網羅的かつ整合的なものとして機能する必要があります。

また，マスターファイルに詳細な内容を記載した場合には，ローカルファイルとの整合性が保たれないケースも想定されることから，親会社が先導して，戦略的に文書化対応を図る必要があるものと考えられます。

⑶　移転価格ポリシーの策定

移転価格調査において，調査官の第一の視点は「所得移転の有無」であると考えられます。実際に，移転価格事務運営要領の3-2は，「調査に当たり配意する事項」を示しており，①比較対象法人の利益率，②国外関連者との間の利益配分，③国外関連者との価格交渉に関する状況について検討を行うこととしています。

そこで，会社としては，国外関連者との間の価格設定等について，どういった指標に基づいて決定するかという方針（移転価格ポリシー）を明確にしておくことが，移転価格対応の出発点であるといえます。

具体的には，①機能・リスク分析，②ロイヤリティの回収方法，③取引価格算定方法等について，事実関係を整理し，それぞれの負担割合を十分に考慮したうえで，利益配分の金額を決定する必要があります。

移転価格ポリシーを明確化することにより，これを軸とした文書化対応が可能となります。

第7章

過少資本税制

第1節　制度の概要

1．概要（措法66の5）

過少資本税制は，内国法人が海外の関連法人等（国外支配株主等）から資金調達を行う際に留意すべき税制です。資金調達には，大きく分けて出資の受入と借入の2つの方法がありますが，借入により資金調達を行う場合には，借入金に対する支払利子を損金算入できることから，内国法人の課税所得を減らすことが可能となります。そのため，国外支配株主等から過大な借入を行うことにより，過大な利子の支払を生じさせ，内国法人の税負担を不当に軽減させる租税回避行為が行われる可能性があります。その対策として創設されたのが過少資本税制です。

具体的には，内国法人の資本に対する借入の割合が3倍を超える場合に，当該内国法人が支払う利子の一部を税務上損金不算入とする制度です。

資金調達方法	コスト	税務上の取扱い
海外の関連法人等からの借入	支払利子	損金算入
海外の関連法人等からの出資	支払配当	損金不算入

2．適用要件

過少資本税制は，次に掲げる内国法人の各事業年度の比率のいずれもが3倍を超える場合に適用があります。なお，負債は，利子等の支払の起因となるもの（利付負債）に限ります。

①	総負債・自己資本比率	=	当事業年度の総負債に係る平均負債残高 / 当事業年度の内国法人の自己資本の額
②	国外支配株主等および資金供与者等に係る負債・資本持分比率	=	当事業年度の国外支配株主等および資金供与者等に対する負債に係る平均負債残高 / 当事業年度の国外支配株主等の内国法人に対する資本持分

※１　国外支配株主等および資金供与者等の詳細については，次節参照

※２　平均負債残高とは，事業年度の負債の帳簿価額の平均的な残高として合理的な方法によって計算した金額をいいます。例えば，毎月末の負債残高を事業年度の月数で除す方法等により計算されます。

適用要件に関するフローは以下のとおりです。

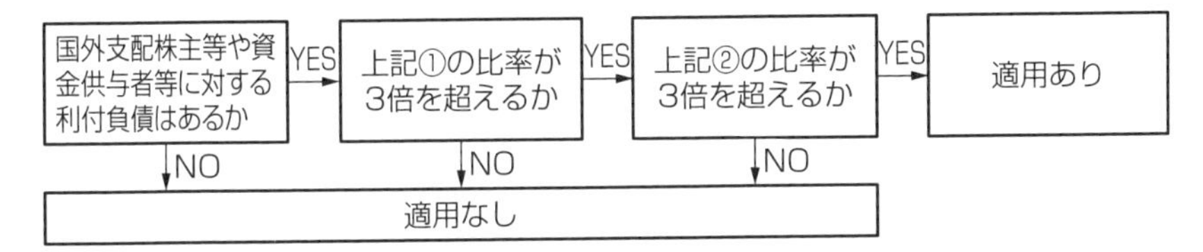

第２節　国外支配株主等と資金供与者等

１．国外支配株主等（措法66の５⑤一）

国外支配株主等とは非居住者または外国法人（非居住者等）で，内国法人との間に，次の関係があるものをいいます。

(1)	非居住者等が内国法人の発行済株式等の50％以上の株式等を直接または間接に保有する関係
(2)	内国法人と外国法人が同一の者によってそれぞれの発行済株式等の50％以上の株式等を直接または間接に保有される場合における当該内国法人と当該外国法人の関係

<table>
<tr><td rowspan="4">(3)</td><td colspan="2">内国法人と非居住者等との間に次に掲げる事実等が存在することにより，当該非居住者等が当該内国法人の事業の方針の全部または一部につき実質的に決定できる関係</td></tr>
<tr><td>①</td><td>内国法人がその事業活動の相当部分を当該非居住者等との取引に依存して行っていること</td></tr>
<tr><td>②</td><td>内国法人がその事業活動に必要とされる資金の相当部分を当該非居住者等からの借入れにより，または当該非居住者等の保証を受けて調達していること</td></tr>
<tr><td>③</td><td>内国法人の役員の50％以上または代表する権限を有する役員が，当該外国法人の役員もしくは使用人を兼務している者または当該外国法人の役員もしくは使用人であった者であること</td></tr>
</table>

上記(1)，(2)，(3)それぞれについて，例を挙げて説明します。

(1) 親子関係

下図において，外国法人Ｃは，内国法人Ｂの発行済株式等の100％を直接保有しているため，内国法人Ｂの国外支配株主等に該当します。また，外国法人Ｃは，内国法人Ａの発行済株式等の50％を間接的に保有しているため，内国法人Ａの国外支配株主等にも該当します。

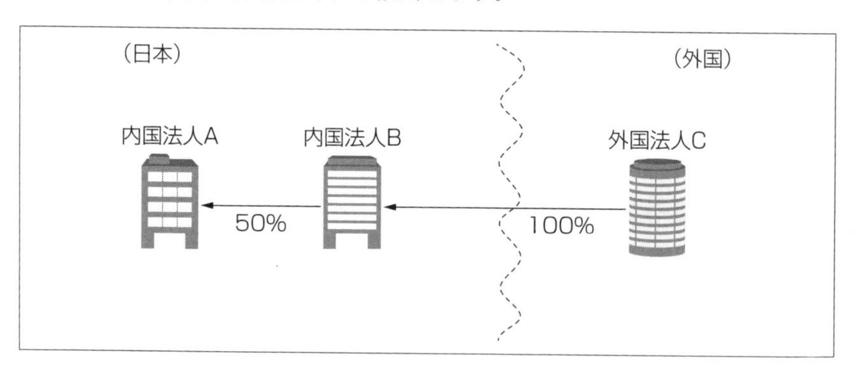

(2) 兄弟関係

次頁図において，外国法人Ｂが，内国法人Ａと外国法人Ｃの発行済株式等の100％を保有しているため，外国法人Ｃは，内国法人Ａの国外支配株主等に該当します。なお，外国法人Ｂも内国法人Ａの国外支配株主等に該当します。

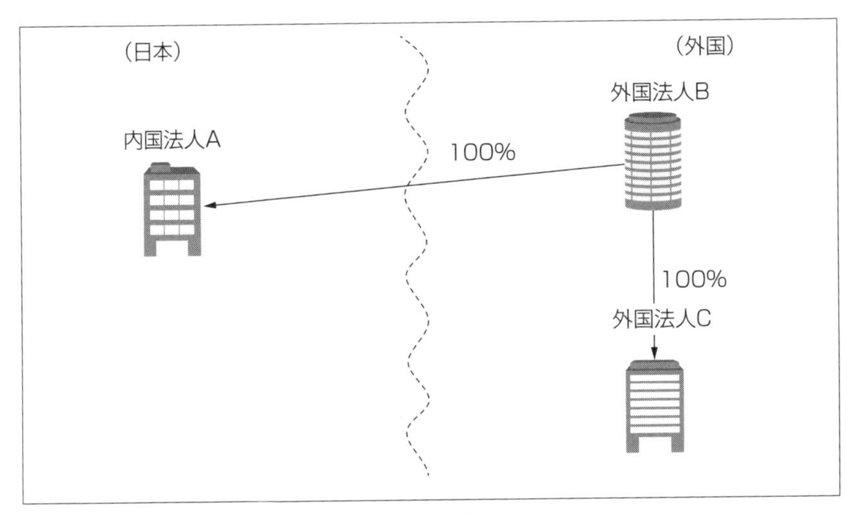

⑶　実質的支配関係（措令 39 の 13 ⑫三）

取引の依存，資金の依存，または役員の派遣を通じて，内国法人の事業方針を実質的に支配することができる外国法人についても，その内国法人の国外支配株主等に該当します。

2．資金供与者等（措法 66 の 5 ⑤二）

資金供与者等とは，内国法人に資金を供与する者等をいいます。一般的には，国外支配株主等が資金供与者等に該当しますが，その他にも，次に掲げる者が資金供与者等に該当します。

①	内国法人と国外支配株主等との間に介在し資金を融通する者
②	国外支配株主等が第三者に対して内国法人の債務保証をすることにより，その第三者が当該内国法人に対して資金供与したと認められる場合のその第三者
③	国外支配株主等から内国法人に貸し付けられた債権を，第三者に担保として提供すること等により，内国法人が資金を供与されたと認められる場合におけるその第三者

国外支配株主等から直接借入を行わず，内国法人と国外支配株主等との間に第三者を介在させた借入等を行うことによって過少資本税制を回避する行為を

防止するために，資金供与者等についても，国外支配株主等と同様に，過少資本税制の適用を判定する際に考慮するものとされています。

第3節　損金不算入額

1．損金不算入額の算定（措令39の13）

「基準平均負債残高」が国外支配株主等の資本持分の3倍以下である場合と3倍を超える場合とで，損金不算入額の算定方法が異なります。基準平均負債残高とは，国外支配株主等および資金供与者等に対する負債に係る平均負債残高から国内の資金供与者等に対する負債に係る平均負債残高を控除した金額をいいます。

(1)　基準平均負債残高が国外支配株主等の資本持分の3倍以下である場合

内国法人が支払う負債の利子・保証料等のうち，国内の資金供与者等に対する負債に係る保証料等について本制度が適用され，下記算式により計算された金額が損金不算入となります。

$$\text{国内の資金供与者等に対する負債に係る保証料等の額} = \frac{\text{平均負債残高超過額}}{\text{国内の資金供与者等に対する負債に係る平均負債残高}}$$

負債の利子　保証料等

			負債の利子	保証料等	
	国内の資金供与者等に対する平均負債残高	平均負債残高超過額			損金不算入額
基準平均負債残高	国外の資金供与者等に対する平均負債残高	国外支配株主等の資本持分の3倍に相当する金額			
	国外支配株主等に対する平均負債残高				

⑵　基準平均負債残高が国外支配株主等の資本持分の３倍を超える場合

内国法人が支払う負債の利子・保証料等のうち，国外支配株主等，国外の資金供与者等に対する負債の利子・保証料等および国内の資金供与者等に対する負債に係る保証料等について本制度が適用され，下記算式により計算された金額が損金不算入となります。

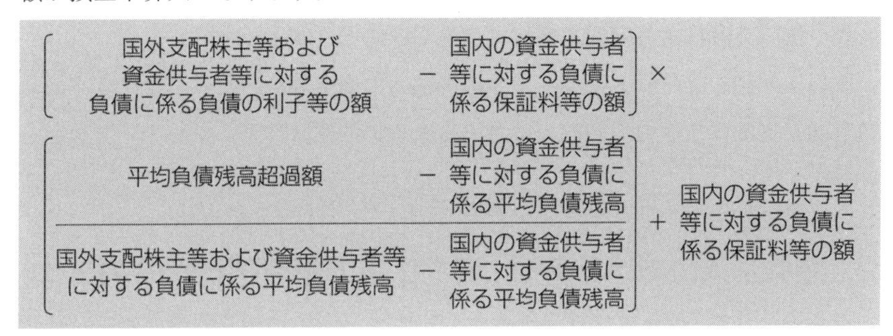

負債の利子　保証料等

国内の資金供与者等に対する平均負債残高

平均負債残高超過額

損金不算入額

国外の資金供与者等に対する平均負債残高

基準平均負債残高

国外支配株主等に対する平均負債残高

国外支配株主等の資本持分の３倍に相当する金額

①　負債の利子（措法66の５⑤三）

負債の利子とは，借入利息や手形の割引料，その他経済的な性質が利子に準ずるものをいいます。

②　国外支配株主等および資金供与者等に対する負債（措法66の５⑤四）

国外支配株主等および資金供与者等に対する負債とは，利子等の支払の起因となるものに限られます。例えば，利子を付する預り敷金の額は，利子を付する期間に限り含まれることになります。

③　平均負債残高（措法66の5⑤五）

平均負債残高とは，当事業年度の負債の帳簿価額の平均的な残高として合理的な方法により計算した金額をいいます。なお，合理的な方法により計算した金額とは，負債の帳簿価額の日々の平均残高，各月末の平均残高等，その事業年度を通じた負債の帳簿価額の平均残高をいいます。

④　国外支配株主等の資本持分（措法66の5⑤六）

国外支配株主等の資本持分とは，内国法人の当事業年度に係る自己資本の額に，国外支配株主等の内国法人に対する株式持分割合を乗じて計算した金額をいいます。

2. 類似法人における負債・資本比率の適用（措法66の5③）

第1節2. の「国外支配株主等および資金供与者等に係る負債・資本持分比率」・「総負債・自己資本比率」の「3倍」に代えて，内国法人と同種の事業を営む内国法人で事業規模その他の状況が類似するものの総負債の額の純資産の額に対する比率を利用することもできます。

なお，この規定の適用を受ける場合には，その明細等を確定申告書に添付し，かつ，その用いる比率が妥当なものであることを明らかにする資料を保存する等一定の要件を満たす必要があります。

3. 特定債券現先取引等の特例（措法66の5②）

国外支配株主等および資金供与者等に対する負債のうちに，特定債券現先取引等（現金担保付債券貸借取引で借り入れた債券または債券現先取引で購入した債券を，現金担保付債券貸借取引で貸し付け，または債券現先取引で譲渡する取引）に係る負債がある場合には，国外支配株主等および資金供与者等に対する負債と当該負債の利子等から，特定債券現先取引等に係るものを控除することができます。

特定債券現先取引等の特例の適用を受ける場合には，「国外支配株主等および資金供与者等に係る負債・資本持分比率」・「総負債・自己資本比率」は3倍ではなく，2倍とされます。

なお，この適用を受けるためには，その明細等を確定申告書に添付し，かつ，その計算に関する書類を保存する等一定の要件を満たす必要があります。

4. 過大支払利子税制との優先適用順位（措法66の5④）

過少資本税制と過大支払利子税制（第８章参照）の双方が適用される場合には，それぞれの制度によって計算された損金不算入額が大きい方の規定が適用されます。

第8章

過大支払利子税制

第1節　制度の背景と概要

1. 創設の背景

内国法人が海外の関連法人等から借入を行い，その利子を支払う場合には，前章で説明したとおり，利子を過大に支払うことにより内国法人の税負担を不当に軽減させる租税回避行為が行われる可能性があります。その対策として過少資本税制が存在しますが，国外支配株主等に係る負債・資本持分比率等が3倍を超えない場合でも，利率を上げて利子を過大に支払うことによる租税回避行為が可能となります。そこで，過少資本税制を補完するために創設されたのが過大支払利子税制です。

2. 概要（措法66の5の2，66の5の3）

法人の各事業年度に，関連者等に対する支払利子等の額がある場合において，関連者等に対する純支払利子等の額（関連者等に対する支払利子等の額の合計額から，控除対象受取利子等の合計額を控除した残額。詳細は後述）が調整所得金額（課税所得に一定の調整を加えたもの）の50％相当額を超えるときは，その超える部分の金額は，当該事業年度の所得の金額の計算上，損金の額に算入されません。

本制度により損金の額に算入されなかった金額については，翌事業年度以後7年間繰り越し，一定の限度額まで損金の額に算入することができます。

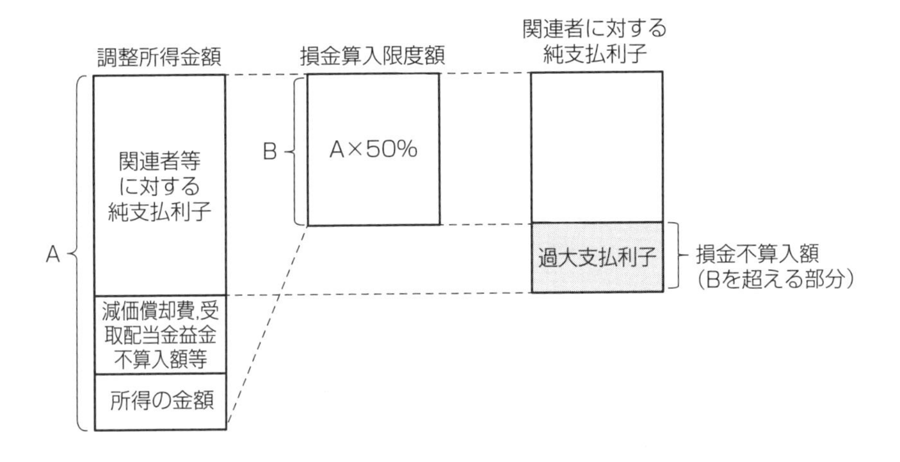

第２節　関連者等に対する純支払利子等

1．関連者等の範囲（措法66の5の2②）

本税制の適用があるか否かを判定するには，まず，法人に資金を提供する者が「関連者等」に該当するかどうかを検討する必要があります。関連者等とは以下の者をいい，その判定は，法人の各事業年度終了時の現況によります。なお，関連者等は，法人に限らず，個人を含みます。

(1)　関連者等が法人の場合

①　いずれか一方の法人が他方の法人の発行済株式等の50％以上を直接または間接に保有する関係のある者

②　二の法人が同一の者(※1)によってそれぞれの発行済株式等の50％以上を直接または間接に保有される関係のある者

③　一定の事実(※2)が存在することにより，二の法人のいずれか一方の法人が他の法人の事業の方針の全部または一部につき実質的に決定できる関係のある者

※1　個人である場合には，当該個人と法人税法施行令4条1項に規定する特殊関係にある個人（その個人の親族や使用人など）も含みます。

※2 一定の事実とは，次に掲げる事実その他これに類するものをいいます。

（イ） 他方の法人の役員の２分の１以上または代表する権限を有する役員が，一方の法人の役員もしくは使用人を兼務している者または一方の法人の役員もしくは使用人であった者であること

（ロ） 他方の法人がその事業活動の相当部分を一方の法人との取引に依存して行っていること

（ハ） 他方の法人がその事業活動に必要とされる資金の相当部分を一方の法人からの借入れにより，または一方の法人の保証を受けて調達していること

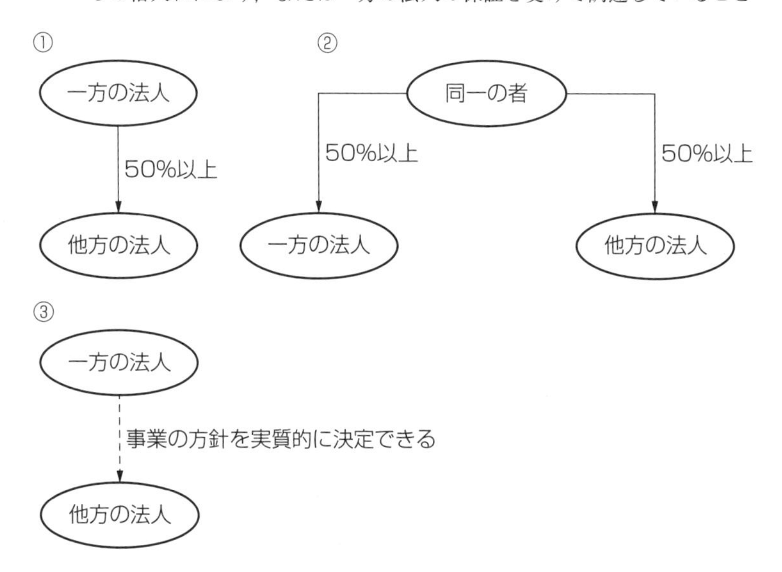

⑵ 関連者等が個人の場合

① 個人(※1)が法人の発行済株式等の50％以上を直接または間接に保有する関係のある者

② 法人と個人との間に一定の事実(※2)が存在することにより，当該個人が当該法人の事業の方針の全部または一部につき実質的に決定できる関係のある者

※1 当該個人と法人税法施行令４条１項に規定する特殊関係にある個人（その個人の親族や使用人など）も含みます。

※2 一定の事実とは，次に掲げる事実その他これに類するものをいいます。

（イ）　法人がその事業活動の相当部分を当該個人との取引に依存して行っていること

（ロ）　法人がその事業活動に必要とされる資金の相当部分を当該個人からの借入れにより，または当該個人の保証を受けて調達していること

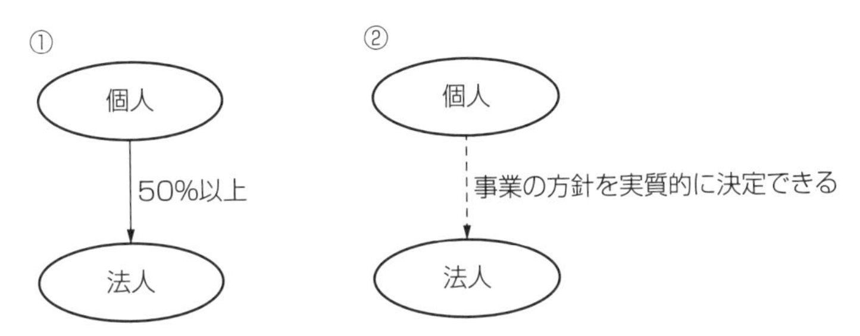

⑶　関連者等とされる第三者

上記⑴または⑵に掲げる関連者等が，第三者を通じて法人に資金を供与したと認められる場合等におけるその第三者は，「関連者等」に含まれます。

①　関連者等が第三者を通じて法人に対して資金を供与したと認められる場合におけるその第三者

②　関連者等が第三者に対して法人の債務の保証をすることにより，その第三者が法人に対して資金を供与したと認められる場合におけるその第三者

③　関連者等から法人に貸し付けられた債券を第三者に担保として提供すること等により，法人が資金を供与されたと認められる場合におけるその第三者

2．関連者等に対する純支払利子等（措法66の5の2①）

関連者等に対する純支払利子等（以下，「関連者純支払利子等」という。）の額は，関連者等に対する支払利子等（以下，「関連者支払利子等」という。）の額の合計額から控除対象受取利子等合計額を控除した残額をいいます。

関連者純支払利子等の額＝関連者支払利子等の額の合計額－控除対象受取利子等合計額

⑴　関連者支払利子等（措法66の5の2②）

関連者支払利子等とは，関連者等に対して支払う利子等のうち，その関連者等の課税対象所得に含まれないものから，除外対象特定債券現先取引等に係る支払利子等を除いた金額をいいます。

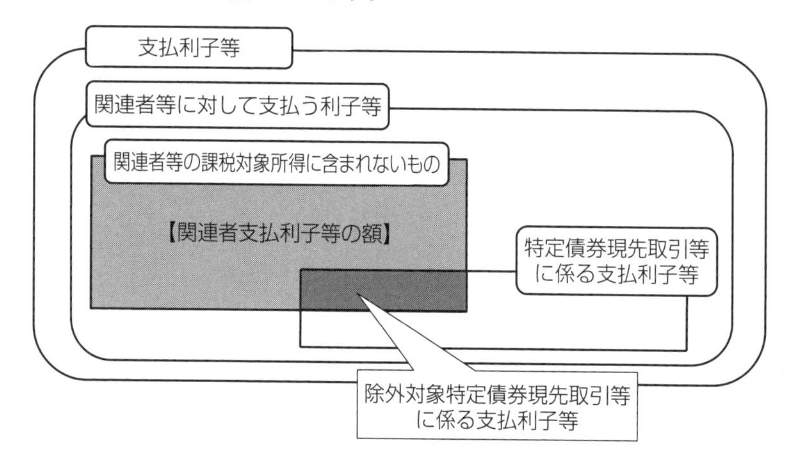

①　支払利子等の範囲（措令39の13の2②）

支払利子等は，負債の利子のほか，これに準ずるものとして次に掲げるものを含みます。

・　支払手形の割引料
・　リース取引に係る利息相当額
・　社債の発行その他の事由による金銭債務に係る収入額がその債務額に満たない場合のその満たない部分の金額
・　上記のほか，経済的な性質が支払利子に準ずるもの

②　関連者等の課税対象所得（措令39の13の2④）

関連者等の課税対象所得とは，関連者等が次のいずれに該当するかに応じ，それぞれ次に掲げる所得をいいます。

（イ）居　住　者…所得税法2条1項21号に規定する各種所得
（ロ）非居住者…所得税法164条1項各号に掲げる非居住者のいずれに該当するかに応じ，その非居住者の当該各号に定める国内源泉

所得

（ハ）内国法人…各事業年度の所得または各連結事業年度の連結所得

（ニ）外国法人…法人税法 141 条各号に掲げる外国法人のいずれに該当するかに応じ，その外国法人の当該各号に定める国内源泉所得

関連者等に対して支払う利子等のうち，その受領者側で日本の課税が行われるものは，関連者支払利子等には該当せず，本制度の適用対象外となります。

③　除外対象特定債券現先取引等に係る支払利子等（措令39の13の2⑤）

除外対象特定債券現先取引等に係る支払利子等とは，関連者等との間で行う特定債券現先取引等に係る支払利子等の額に一定の調整を加えた金額をいいます。

⑵　控除対象受取利子等（措法66の5の2③）

控除対象受取利子等合計額とは，当事業年度に法人が受ける受取利子等の額の合計額に当事業年度の関連者支払利子等の額の合計額の当事業年度の支払利子等の額の合計額に対する割合を乗じて計算した金額をいいます。

$$\text{控除対象受取利子等合計額} = \text{法人が受ける受取利子等の額の合計額（対応債券現先取引等に係る受取利子等の額を除く）} \times \frac{\text{関連者支払利子等の額の合計額}}{\text{支払利子等の額の合計額（※）}}$$

※　上記⑴③の除外対象特定債券現先取引等に係る支払利子等を除きます。

①　受取利子等の範囲

受取利子等は，債権の利子のほか，これに準ずるものとして次に掲げるものを含みます。

- 支払手形の割引料
- リース取引に係る利息相当額
- 償還有価証券に係る調整差益
- 上記のほか，経済的な性質が受取利子に準ずるもの

②　対応債券現先取引等に係る受取利子等

対応債券現先取引等に係る受取利子等とは，特定債券現先取引等に係る支払

利子等に対応する一定の受取利子等をいいます。

第3節　損金不算入額の計算(措法66の5の2①)

関連者純支払利子等の額が，調整所得金額の50％に相当する金額を超える部分について損金不算入となります。

損金不算入額＝関連者純支払利子等の額－調整所得金額×50％

1．調整所得金額（措令39の13の2①）

調整所得金額は，次の算式により計算した金額です。

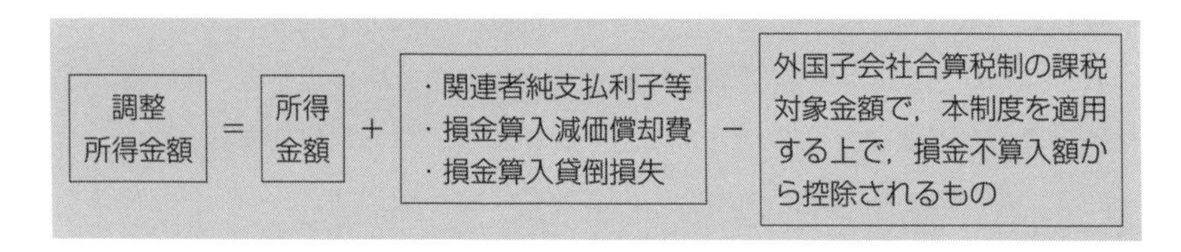

調整所得金額がマイナスとなる場合には，調整所得金額をゼロとして損金不算入額を計算します。したがって，関連者純支払利子等の額の全額が損金不算入となります。

また，上記「所得金額」は当事業年度の所得金額に一定の調整を加えて計算します。

2．繰越損金不算入額（措法66の5の3）

当事業年度の関連者純支払利子等の額が調整所得金額の50％に満たない場合において，前7年以内に開始した各事業年度に本税制の適用により損金不算入とされた金額（超過利子額）があるときは，当該超過利子額に相当する金額は，当事業年度の調整所得金額の50％相当額から関連者純支払利子等の額を控除した残額に相当する金額を限度として，当事業年度の所得の金額の計算上，損金の額に算入することとされています。

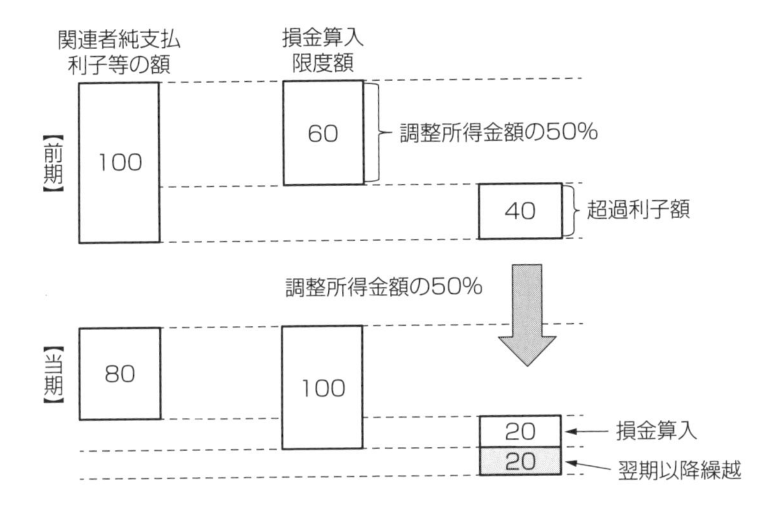

第４節　適用除外（措法 66 の 5 の 2④）

次のいずれかに該当する場合には，本制度は適用されません。なお，この適用除外を受けるためには，確定申告書等に適用除外の旨を記載した書面およびその計算に関する明細書の添付があり，かつ，その計算に関する書類を保存する必要があります。

① 当事業年度の関連者純支払利子等の額が 1,000 万円以下である

② 当事業年度の関連者支払利子等(※)の額の合計額がその事業年度の支払利子等の額の合計額の 50 %以下である

※ 関連者等に対して支払う利子等の額でその関連者等の課税対象所得に含まれるものを除きます。

第５節　他の制度との適用関係

1．過少資本税制との適用関係（措法 66 の５の２⑦）

本制度と過少資本税制（第７章参照）の双方が適用される場合には，損金不算入額が多い方の制度が適用されます。

2．外国子会社合算税制との適用関係（措法66の5の2⑧）

内国法人が，関連者等に該当する外国関係会社に対して支払った利子等について本制度と外国子会社合算税制（第５章参照）の双方が適用される場合には，本制度による損金不算入額（その外国関係会社に対する支払利子等に係る部分に限る）から外国子会社合算税制による合算所得（その外国関係会社に係るものに限る）に相当する金額を控除して，二重課税を調整します。

第9章

海外子会社との取引における留意点

この章では，海外子会社と取引をする際の留意点をQ＆A形式で解説します。

海外子会社との取引は，日本国内の会社との取引と異なる課税関係が生ずるケースがありますから，どこに相違点があるのか，その取扱いはどのようになるのかを確認することが重要になります。

また，海外子会社所在地国と日本との間で租税条約を結んでいる場合には，租税条約が日本の国内法よりも優先されることがありますので，その租税条約の規定がどのようになっているかを確認することが必要になります。

海外子会社との取引における主な留意点を以下の表にまとめました。

【海外子会社との取引における主な留意点】

No	項　目	留意点
1	海外子会社の設立費用	● 親会社の負担割合
2	海外子会社に従業員・役員を出向させている場合	● 給与較差補填の水準 ● 日本出国時の年末調整 ● 給与支払時の所得税源泉徴収税率
3	海外子会社への貸付	● 受取利息の水準 ● 受取利息に係る現地源泉所得税は外国税額控除可
4	海外子会社からの借入	● 支払利息の水準 ● 支払利息に係る日本の所得税源泉徴収税率
5	海外子会社から受け取る使用料	● 使用料の水準 ● 現地源泉所得税は外国税額控除可 ● ノウハウ等無形資産の無償利用

6	海外子会社へ支払う使用料	● 使用料の水準 ● 使用料支払時の日本の所得税源泉徴収税率
7	海外子会社から受け取る配当	● 95 %益金不算入（25 %以上 6 か月以上保有） ● 上記益金不算入の適用がある場合には，現地源泉所得税は外国税額控除不可，かつ，損金不算入

Question 1　海外子会社の設立費用

日本法人である当社は，海外子会社を設立し，その設立費用の全てを負担しようと考えています。
税務上何か注意すべき点はありますか？

Answer

海外子会社が負担すべき費用を，合理的な理由なく日本親会社が負担している場合，その負担した金額は「国外関連者に対する寄附金」となり全額損金不算入となります。

解　説

1 「国外関連者に対する寄附金」の取扱い

寄附金とは，金銭，その他の資産または経済的利益の贈与または無償の供与をいいます。したがって，海外子会社が負担すべき費用を日本親会社が負担している場合には，その金額は寄附金に該当します。そして，海外子会社は国外関連者に該当しますから，「国外関連者に対する寄附金」として全額損金不算入となります。

2 海外子会社が負担すべき費用

ところで，どこまでが海外子会社が負担すべき費用となるのでしょうか。一

【一般的な海外子会社設立の流れ】

No	項　目	発生する費用
①	海外進出の検討	情報収集等のコンサルティング報酬
②	海外子会社の設立	設立手続の報酬
③	海外子会社設立後	許認可取得費用，マーケティング費用

般的な海外子会社設立の流れを検討してみましょう。

前ページ表の①「情報収集等のコンサルティング報酬」については，海外子会社を設立するかどうかという日本親会社の経営判断のために必要な支出と考えることができますから，日本親会社が負担すべき費用と考えられます。

前ページ表の②「設立手続の報酬」については，海外子会社自身を設立するための費用ですから，原則として海外子会社が負担すべき費用と考えられます。

前ページ表の③「許認可取得費用」については，海外子会社が自らの営業を開始するための費用と考えられますから，原則として海外子会社が負担すべき費用と考えられます。「マーケティング費用」についても同様に，基本的には海外子会社が負担すべき費用と考えられますが，日本親会社の製品を販売する等共同の販売戦略に基づいた支出であるような場合には，日本親会社がその費用の一部を負担することも認められると考えます。

なお，前ページ表の②「設立手続の報酬」，前ページ表の③「許認可取得費用」に関して，海外子会社の設立が日本親会社の事業戦略上欠くことができない重要なものである等，日本親会社がその費用を負担すべき合理的な理由がある場合には，日本親会社がその費用の一部を負担することも可能であると考えます。

Question 2 役員・使用人を海外子会社に出向させている場合①―日本親会社が給与較差分を負担する場合の留意点

日本法人である当社は，役員を海外子会社に出向させています。海外子会社所在地国の給与水準が日本と比べて低く，また，海外子会社にも現地の給与水準以上の給与を負担する能力はありません。そこで，日本において勤務していた時と同水準の給与を出向者に支払うため，親会社である当社が出向者に対する給与の一部を負担しています。

税務上何か注意すべき点はありますか？

Answer

日本親会社が負担している給与が，日本親会社と現地子会社の給与水準の較差を補填するためのものである場合には，その金額は日本親会社の損金の額に算入されます。

ただし，海外子会社が負担すべき金額を親会社が負担した場合には，親会社のその負担額は，「国外関連者に対する寄附金」として損金不算入となります。

解　説

日本親会社の役員・使用人を海外子会社に出向させて，日本親会社がその出向者の給与を負担する場合には，税務上出向者の給与について問題が生ずるケースがあります。

1　給与較差補填金

日本親会社の役員・使用人を海外子会社に出向させる場合，出向後も日本親会社と出向者との間の雇用契約は継続していますから，日本親会社で勤務していたときと同等の労働条件を保証することが一般的です。

海外子会社の所在地国によっては，日本親会社と比べて給与水準が低いことがあるため，日本親会社は出向者に対して日本親会社で勤務していたときと同水準の給与を保証することがあります。このように日本親会社で勤務していたときの給与水準と海外子会社の給与水準の較差（給与較差）を補填するために親会社が負担する給与を「給与較差補填金」といいます。

2 給与較差補填金の取扱い

しかしながら，出向者は海外子会社のために労務を提供しており，原則として海外子会社がその給与を負担すべきですので，日本親会社が負担した給与較差補填金の取扱いが問題となります。

この点，日本親会社が支出した給与較差補填金が，日本親会社と海外子会社の給与較差を補填するために負担したものであると合理的に認められる場合には，日本親会社の損金の額に算入することができる旨が法人税基本通達 9－2－47 に明示されています。

参考 法人税基本通達 9-2-47 （出向者に対する給与の較差補填）

出向元法人が出向先法人との給与条件の較差を補填するため出向者に対して支給した給与の額（出向先法人を経て支給した金額を含む。）は，当該出向元法人の損金の額に算入する。（昭 55 年直法 2 － 8「三十二」，平 10 年課法 2–7「十」，平 19 年課法 2–3「二十二」，平 23 年課法 2–17「十八」により改正）

（注） 出向元法人が出向者に対して支給する次の金額は，いずれも給与条件の較差を補填するために支給したものとする。

1 出向先法人が経営不振等で出向者に賞与を支給することができないため出向元法人が当該出向者に対して支給する賞与の額

2 出向先法人が海外にあるため出向元法人が支給するいわゆる留守宅手当の額

それでは，日本親会社が負担する給与のうち，どこまでが合理的に給与較差を補填するためのものと考えることができるでしょうか。海外子会社の所在地国の業種や規模等が類似する他の会社の給与水準と同等の給与を海外子会社が負担しているのであれば問題は生じないと考えられます。

一方で，本来海外子会社が負担すべき給与まで親会社が給与較差補填金として負担している場合には，海外子会社は国外関連者に該当しますから，「国外関連者に対する寄附金」として全額損金不算入とされる可能性がある点に注意が必要です。

例えば，海外子会社が所在地国の給与水準200万円の半分の100万円の給与しか出向者に対して支払っておらず，出向者が日本親会社で勤務していたときの給与水準500万円との差額400万円を日本親会社が給与較差補填金として負担する場合を考えてみましょう。

海外子会社所在地国の給与水準200万円が本来海外子会社の負担すべき金額と考えられますから，海外子会社が出向者に実際に支払っている金額100万円との差額100万円については，「国外関連者に対する寄附金」として課税されます。この場合，寄附金とされた100万円は全額損金不算入となります（なお，状況によっては移転価格税制が適用されるケースも考えられる）。

【給与較差補填金のイメージ】

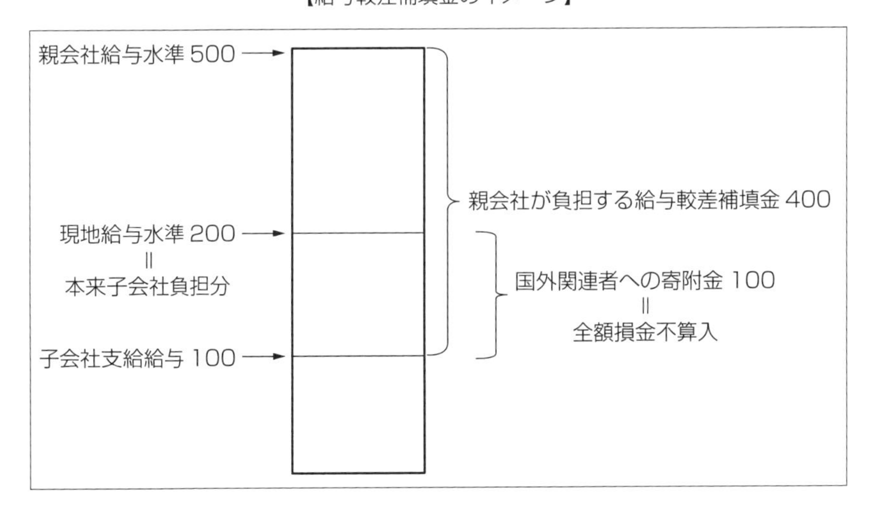

Question 3 役員・使用人を海外子会社に出向させている場合②―日本親会社が出向者に対して給与を支払う場合の所得税の取扱い

日本法人である当社は４年間の予定で役員と使用人を海外子会社に出向させることにしました。出向後もこの役員と使用人への給与の一部は当社から支払う予定です。

税務上何か注意すべき点はありますか？

Answer

・出向者が海外に１年以上滞在する予定で海外子会社に出向した場合，出国日の翌日から非居住者となり，国内源泉所得についてのみ日本の所得税の納税義務を負います。

・給与の支払を受ける者が非居住者となる場合には，原則として，出国前の最後の給与支払時に年末調整を行います。

・ただし，年初から出国までの間において出向者に支払うことが確定した給与等の総額が2,000万円を超える場合等には，原則として出国までに所得税の確定申告が必要になるため日本親会社での年末調整は不要となります。

・出向者が使用人の場合，日本法人が支給する海外での勤務に対する給与は，国外源泉所得になります。したがって，海外子会社での勤務に対する給与について日本での納税義務はなく，日本親会社による所得税の源泉徴収は不要です。

・出向者が役員の場合，日本法人が支給する海外での勤務に対する給与は，原則として，国内源泉所得になります。したがって，海外子会社での勤務に対する給与について日本での納税義務がありますから，日本親会社において20.42％の所得税（復興特別所得税を含む。以下同じ）の源泉徴収が必要になります。なお，日本での課税は源泉徴収のみで終了します（源泉分離課税）。

・使用人に対して賞与等の国内と国外双方の勤務に対する報酬を支給する場合の国内源泉所得は原則として以下の算式で計算します。

$$国内源泉所得＝賞与の金額\times\frac{国内勤務期間}{賞与の計算期間}$$

・役員に対して賞与等の国内と国外の双方の勤務に対する報酬を支給する場合，その全額が国内源泉所得になります。

解　説

1　出国時の取扱い

業務上国外において継続して１年以上居住することを通常必要とする者は，日本に住所を有しないものと推定され，日本の非居住者となります。本事例の役員と使用人は４年間の予定で出向しますから，出国後は日本に住所を有しないものと推定され，日本の非居住者となります。なお，非居住者となるのは出向の辞令の日ではなく，実際に出国した日の翌日からになります。

給与の支払を受ける者が海外子会社等に出向することにより非居住者となる場合には，原則として出国前の最後の給与支給時に年末調整をする必要があります。この年末調整の際の配偶者控除，扶養控除の適用については出国日の現況によって判断します。

ただし，給与収入が2,000万円超の場合や，日本での不動産の賃料収入がある場合等については，「出国前まで」に所得税の確定申告が必要になるため，年末調整は不要となります。なお，納税管理人を定めている場合には，「出国前まで」ではなく，通常の確定申告と同じ翌年の３月15日が確定申告の申告期限となります。

2　出国後の給与の取扱い

非居住者は，日本の国内源泉所得についてのみ所得税の納税義務を負うことになりますから，出向者の受け取る給与が国内源泉所得に該当するかどうかによって，給与支払時における日本親会社の源泉徴収義務の有無が決まります。すなわち，出向者の受け取る給与が国内源泉所得に該当する場合には，日本親会社での源泉徴収が必要になります。

【出国時のイメージ】

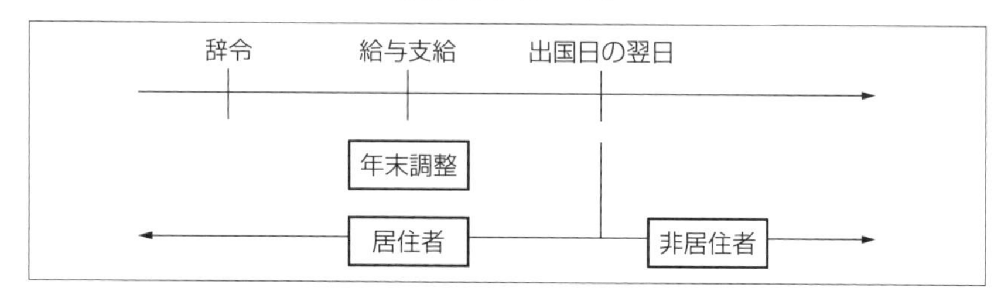

【所得税の納税義務】

納税義務者の区分	課税の範囲
居住者（永住者）	全世界の所得に対して課税
非居住者	国内源泉所得

出向者が使用人である場合，使用人が受け取る給与の所得源泉地はその「勤務地」によって判定しますから，使用人が受け取る給与は海外子会社所在地国で生じたことになります（国外源泉所得）。したがって，海外子会社に出向している使用人には，日本での納税義務はなく，日本親会社による所得税の源泉徴収は不要になります。

一方，出向者が役員であった場合，日本法人から支給される給与は国外で行った勤務の対価であったとしても，原則として日本の国内源泉所得になります。したがって，海外子会社に出向している役員は，日本での納税義務がありますから，日本親会社で所得税の源泉徴収が必要になります。なお，源泉徴収税率は，20.42％であり，源泉徴収のみで課税が終了します。居住者に給与を支払う場合とは源泉徴収税率が異なる点に注意が必要です。

ただし，日本法人の役員ではあるが，海外においては使用人として常時勤務しているようなケース（例えば，日本法人の取締役とシンガポール支店の支店長を兼務しているようなケース）では，使用人と同様にその勤務地で所得源泉地を判定します。これは，海外で常時行っている使用人としての勤務を重視しているためと考えられます。

【海外出向者に対する給与】

出向者	給与所得の所得源泉地	日本親会社による給与支払時の源泉徴収
使用人	勤務地 ・本事例では，海外子会社所在地国が所得源泉地となります。	不要
役　員	日本 ・日本法人の役員として受け取る給与は，勤務地によらず，日本が所得源泉地となります。	必要（20.42％）

（注）租税条約に異なる取扱いが規定されている場合には，その取扱いが優先されます。

3　出国後の賞与等の取扱い

出向者に対する賞与等を支払う際には，その中に国内勤務に対応する分（国内源泉所得）が含まれていることがあるので注意が必要です。

【出向者に対する賞与】

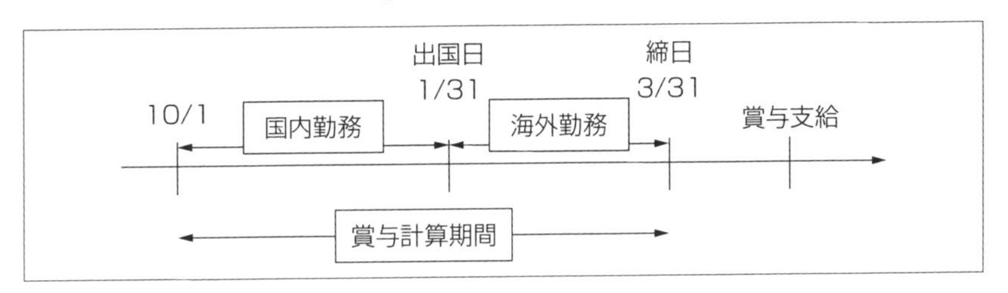

この場合の，国内源泉所得は次のように算定します。算定した国内源泉所得の金額について20.42％の税率で所得税が源泉徴収され，課税が終了します。

【出国後の賞与のうち，国内源泉所得となる部分】

出向者	国内源泉所得
使用人	賞与の金額×$\frac{\text{国内勤務期間}}{\text{賞与の計算期間}}$
役　員	賞与の全額

4 給与負担金

日本親会社が出向者の給与を支払っている場合，日本親会社は海外子会社から給与負担金を受け取る必要があります。給与負担金を受け取っていない場合，海外子会社が負担すべき部分を日本親会社が負担したことになり，出向者に支払った給与のうち，本来海外子会社が負担すべき部分については，「国外関連者に対する寄附金」として全額損金不算入となります。

ここでいう給与負担金とは，日本親会社の役員・従業員が海外子会社に出向した場合において，海外子会社が自己の負担すべき受け入れた出向者に対する給与相当額として親会社に支払うものをいいます。

【給与負担金】

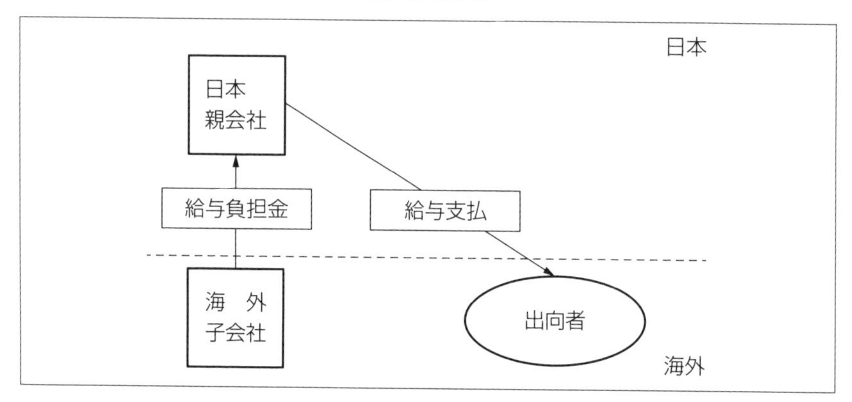

Question 4　海外子会社へ貸付をする場合

日本法人である当社は海外子会社に対して貸付をしており，毎年利息を受領しています。

税務上何か注意すべき点はありますか？

なお，当社および海外子会社は金銭の貸付を業務として行ってはいません。

Answer

- 受取利息について海外子会社所在地国で所得税等の源泉徴収がされている場合（以下，海外子会社所在地国で源泉徴収される所得税等を「源泉税」という），日本親会社の確定申告の際に外国税額控除の対象となります。
- 海外子会社所在地国と日本との間の租税条約によって，海外子会社所在地国の源泉税が免除・軽減されることがあるので，租税条約の内容と手続を確認する必要があります。
- 受取利息の金額が独立企業間価格に満たない場合，その差額部分について移転価格税制の対象となります（子会社支援等の一定の場合を除く）。

解　説

1　源泉税の取扱い

海外子会社から利息を受領した場合，海外子会社の所在地国で源泉税が課されるケースがあります。この源泉税については，日本親会社の確定申告時に外国税額控除の対象となります。

海外子会社所在地国と日本との間で，租税条約を結んでいる場合には，海外子会社所在地国の源泉税が免除または税率が軽減されることがありますから，租税条約の内容，租税条約適用のための手続を確認する必要があります。

2 移転価格税制の適用

本事例における取引相手は海外子会社であり，国外関連者に該当しますから，海外子会社から受領する利息の金額が独立企業間価格に満たない場合には，その差額部分について移転価格税制が適用されます（実務上は移転価格税制ではなく，「国外関連者に対する寄附金」として認定される可能性もある。）。移転価格税制が適用された場合，日本親会社は独立企業間価格で利息を受け取ったものとして所得計算をすることとなり，独立企業間価格に満たない部分は益金算入となります。

ただし，利息の金額が独立企業間価格に満たない，または無利息の場合であっても，子会社の倒産を防止するため等の理由でやむを得ず低金利，無利息である場合には，その金利は適正な金利として移転価格税制が適用されることはありません。

3 独立企業間価格の算定

利息の独立企業間価格はどのように算定するのでしょうか。日本親会社，海外子会社ともに金銭の貸付等を事業としていない場合，独立企業間価格を算定することは困難であると考えられることから，移転価格事務運営要領 3-7 において利息の独立企業間価格算定の指針が示されています。

移転価格事務運営要領 3-7 の内容は次のとおりです。①，②，③の順に利率の検討を行います。

① 借手（海外子会社）が，非関連者である銀行等から当該国外関連取引と通貨，貸借時期，貸借期間等が同様の状況の下で借り入れたとした場合に付されるであろう利率

② 貸手（日本親会社）が，非関連者である銀行等から当該国外関連取引と通貨，貸借時期，貸借期間等が同様の状況の下で借り入れたとした場合に付されるであろう利率

③ 国外関連取引に係る資金を，当該国外関連取引と通貨，取引時期，期間等が同様の状況の下で国債等により運用するとした場合に得られるであろ

う 利率

【海外子会社から受け取る利息】

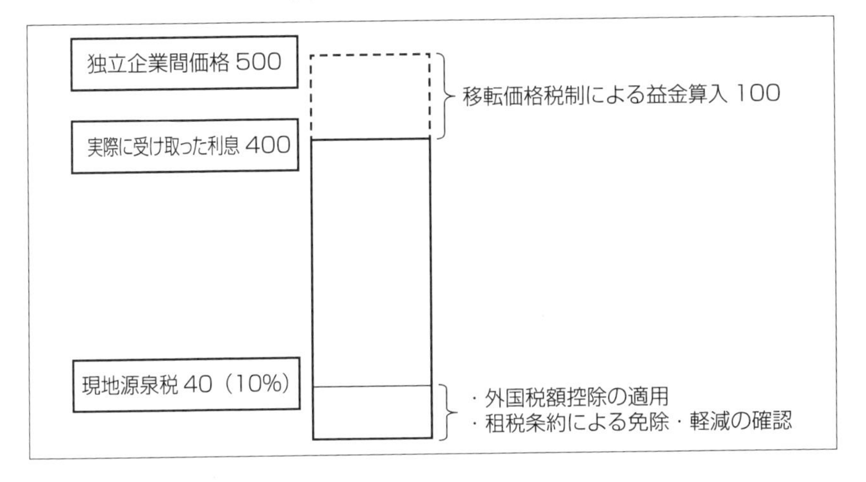

Question 5　海外子会社から借入をする場合

日本法人である当社は海外子会社から日本で行う事業のための資金の借入をしており，毎年利息を支払っています。
税務上何か注意すべき点はありますか？

Answer

・日本親会社は利息の支払時に20.42％の税率で所得税を源泉徴収する必要があります。
・海外子会社所在地国と日本との間の租税条約によって，日本親会社での所得税の源泉徴収が免除・軽減されることがあるので，租税条約の内容と手続を確認する必要があります。
・支払利息の金額が独立企業間価格を超える場合，その差額部分について移転価格税制が適用されます。

解　説

1　所得税の源泉徴収

外国法人が日本国内において業務を行う者から受け取る，その業務に関連する貸付金の利子は，日本の国内源泉所得として日本で課税されますから，海外子会社に対する利息の支払時に日本親会社は20.42％の税率で所得税を源泉徴収する必要があります。なお，海外子会社所在地国と日本との間で，租税条約を結んでいる場合には，日本親会社での所得税の源泉徴収が免除または税率が軽減されることがありますから，租税条約の内容，租税条約適用のための手続を確認する必要があります。

2　移転価格税制の適用

また，本事例における取引相手は海外子会社であり，国外関連者に該当しますから，海外子会社に支払う利息の金額が独立企業間価格を超える場合には，その差額部分について移転価格税制が適用されます。移転価格税制が適用された場合，日本親会社は独立企業間価格で利息を支払ったものとして所得計算をすることとなり，独立企業間価格を超えた部分は損金不算入となります（実務上は移転価格税制ではなく，「国外関連者に対する寄附金」として認定される可能性もある）。

利息の独立企業間価格算定の指針については，Q4をご参照ください。

【海外子会社へ支払う利息】

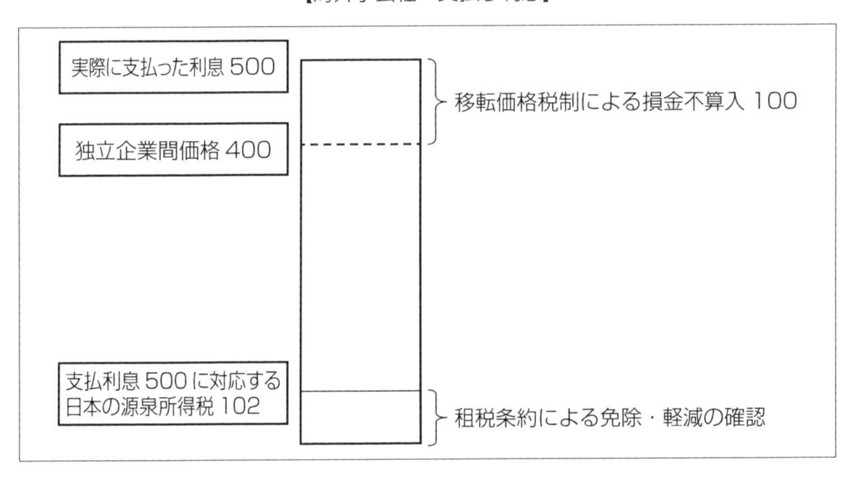

※　日本親会社の所得の状況によっては，過大支払利子税制が適用される可能性があります（第８章参照）。

Question 6 海外子会社から使用料を受け取る場合

日本法人である当社は海外子会社から，当社に帰属する商標を使用させる対価として，その使用料を受け取っています。また，日本親会社で培ってきた製品の製造ノウハウについても海外子会社に利用させていますが，こちらについては特に対価は受け取っていません。
税務上何か注意すべき点はありますか？

Answer

・受領した使用料について海外子会社所在地国において源泉税が課されている場合，日本親会社の確定申告の際に外国税額控除の対象となります。
・海外子会社所在地国と日本との間の租税条約によって，海外子会社所在地国の源泉税が免除・軽減されることがあるので，租税条約の内容と手続を確認する必要があります。
・受領した使用料が独立企業間価格に満たない場合には，その差額部分について移転価格税制が適用されます。
・ノウハウや取引網等の無形資産を海外子会社に利用させている場合において，独立企業間価格に相当する対価を受領していないときは，その対価に相当する金額について，「国外関連者に対する寄附金」と認定されるまたは移転価格税制が適用される可能性があります。

解　説

1　源泉税の取扱い

海外子会社から商標の利用に係る使用料を受領した場合，海外子会社の所在地国で源泉税が課されているケースがあります。この源泉税については，日本親会社の確定申告時に外国税額控除の対象となります。なお，海外子会社所在地国と日本との間で租税条約を結んでいる場合には，海外子会社所在地国の源泉税が免除または税率が軽減されることがありますから，租税条約の内容，租税条約適用のための手続を確認する必要があります。

❷　移転価格税制の適用

本事例における取引相手は海外子会社であり，国外関連者に該当しますから，海外子会社から受領する使用料の金額が独立企業間価格に満たない場合には，その差額部分について移転価格税制が適用されます。移転価格税制が適用された場合，日本親会社は独立企業間価格で使用料を受け取ったものとして所得計算をすることとなり，独立企業間価格に満たない部分は益金算入となります。

また，本事例では海外子会社に対して製造ノウハウを利用させていますが，その対価を受領していません。製造ノウハウを利用させる相手が独立した第三者であった場合には，その対価を受領するのが通常ですので，この製造ノウハウの利用許諾取引は独立企業間価格に満たない対価で行っていることになります。したがって，その対価に相当する金額について，「国外関連者に対する寄附金」と認定されるまたは「移転価格税制」が適用される可能性があります。このような製造ノウハウ等の無形資産の海外子会社による利用は見落としがちになりますので注意が必要です。

【海外子会社から受け取る使用料】

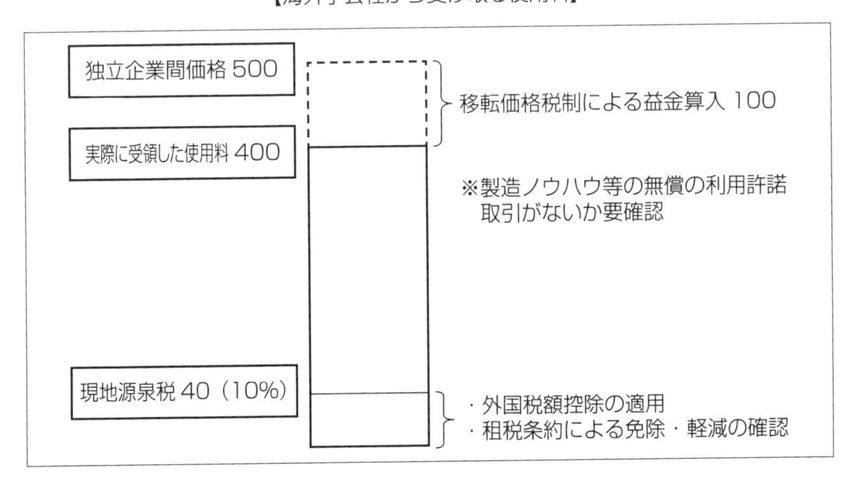

Question 7 海外子会社に使用料を支払う場合

日本法人である当社は国内での事業目的のため，海外子会社に帰属する商標の使用許諾を得ています。そして，その対価として海外子会社に使用料を支払っています。

税務上何か注意すべき点はありますか？

Answer

・日本親会社は，使用料の支払時に20.42％の税率で所得税を源泉徴収する必要があります。

・海外子会社所在地国と日本との間の租税条約によって，日本親会社での所得税の源泉徴収が免除・軽減されることがあるので，租税条約の内容と手続を確認する必要があります。

・使用料の水準が独立企業間価格を超える場合，その差額部分について移転価格税制が適用されます。

解　説

1　所得税の源泉徴収

外国法人が日本国内において業務を行う者から受け取る，商標の使用料は，日本の国内源泉所得として日本で課税されますから，海外子会社に対する使用料の支払時に日本親会社は20.42％の税率で所得税を源泉徴収する必要があります。なお，海外子会社所在地国と日本との間で，租税条約を結んでいる場合には，日本親会社での所得税の源泉徴収が免除または税率が軽減されることがありますから，租税条約の内容，租税条約適用のための手続を確認する必要があります。

2　移転価格税制の適用

本事例における取引相手は海外子会社であり，国外関連者に該当しますから，海外子会社に支払う使用料の金額が独立企業間価格を超える場合には，その差額部分について移転価格税制が適用されます。移転価格税制が適用された場合，日本親会社は独立企業間価格で使用料を支払ったものとして所得計算をすることとなり，独立企業間価格を超えた部分は損金不算入となります（実務上は移転価格税制ではなく，「国外関連者に対する寄附金」として認定される可能性もある。）。

【海外子会社へ支払う使用料】

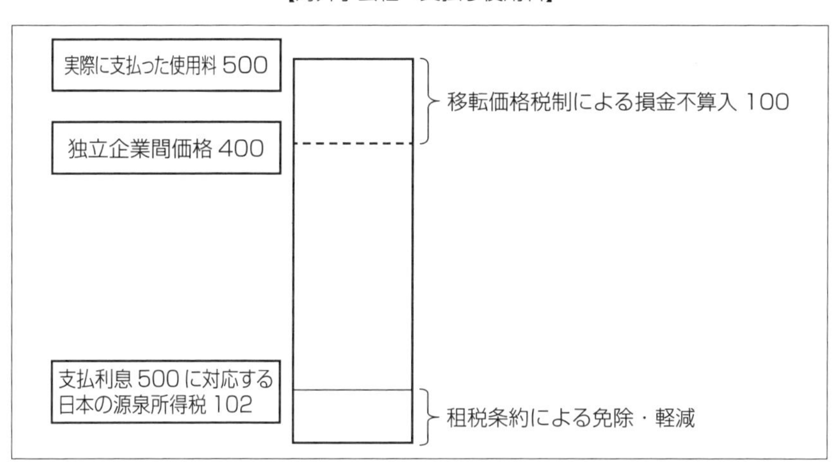

Question 8 海外子会社から配当を受け取る場合

日本法人である当社は3年前に設立した海外子会社（設立時から100%の株式を保有）から配当を受け取ることになりました。

税務上何か注意すべき点はありますか？

Answer

- 発行済株式の25％以上を，配当の支払義務が確定する日以前6か月以上継続して保有している場合，その海外子会社から受け取る配当の額の95％相当額は益金不算入となります。
- 上記の「発行済株式の25％以上を保有していること」という要件は，海外子会社所在地国と日本との間の租税条約で異なる割合が定められていることがあります（例えば，日米租税条約では「10％以上を保有」と規定されている。）。
- 配当時に海外子会社所在地国で源泉税が課されている場合，その金額は外国税額控除の対象にはならず，損金算入もされません。
- 海外子会社所在地国と日本との間の租税条約によって，海外子会社所在地国の源泉税が免除・軽減されることがあるので，租税条約の内容と手続を確認する必要があります。

解　説

1 海外子会社配当の益金不算入制度

発行済株式の25％以上を，配当の支払義務が確定する日以前6か月以上継続して保有している場合，海外子会社から受け取る配当の額の95％相当額は益金不算入となります。

この「発行済株式の25％以上を保有していること」という要件ですが，租税条約に異なる定めがある場合があるので注意が必要です。例えば，米国子会社からの配当は，日米租税条約23条の適用により，25％以上ではなく，10％

以上の持株割合を，配当の支払義務が確定する日以前６か月以上継続していれば，95％益金不算入となります。

２ 源泉税の取扱い

上記要件に当てはまる海外子会社からの配当の95％は益金不算入となりますから，ほとんど日本では課税されず，国際的な二重課税は実質的に生じないことになります。そのため，95％益金不算入となる海外子会社からの配当については，国際的な二重課税を排除するための調整は行われません。具体的には，配当時に海外子会社の所在地国で課された源泉税は，日本親会社の外国税額控除の対象とはならず，また，損金算入もできません。

このように，海外子会社所在地国で徴収された源泉税は日本の税制上何ら考慮されないこととなり，純粋な支出となります。したがって，海外子会社所在地国と日本との間で租税条約が結ばれており，受取配当について海外子会社所在地国における源泉税が免除・軽減される場合には，この特典を受けることがより重要になると考えられます。

【海外子会社からの配当（95％益金不算入となる場合）】

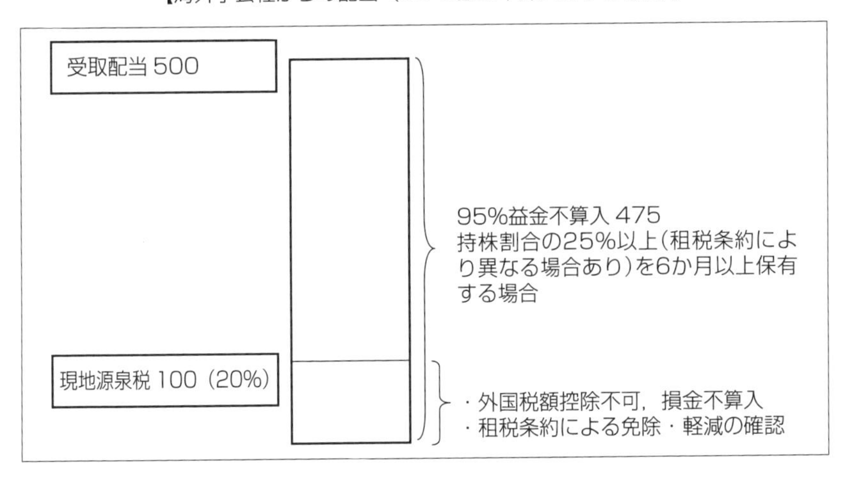

Column　相続税・贈与税の納税義務者

(1) 概要

日本の相続税・贈与税（以下「相続税等」）では，相続人・受贈者（以下，「相続人等」）及び被相続人・贈与者（以下，「被相続人等」）が国内居住しているか否か，一時的に居住するか否か，日本国籍を有しているか，などにより課税の対象が異なります。

平成30年4月1日以後相続開始・贈与の場合の相続税等の納税義務者の範囲は，以下の表のとおりです。

<table>
<tr><td rowspan="3">相続人受贈者
被相続人贈与者</td><td rowspan="3">国内に居住</td><td rowspan="3">一時居住者（※1）</td><td colspan="3">国外に居住</td></tr>
<tr><td colspan="2">日本国籍あり</td><td rowspan="2">日本国籍なし</td></tr>
<tr><td>10年以内に住所あり</td><td>左記以外</td></tr>
<tr><td colspan="3">国内に居住</td><td></td><td></td><td></td><td></td><td></td></tr>
<tr><td colspan="3">一時居住被相続人／一時居住贈与者（※1）</td><td></td><td></td><td></td><td></td><td></td></tr>
<tr><td rowspan="4">国外に居住</td><td colspan="2">10年以内に住所あり</td><td></td><td></td><td></td><td></td><td></td></tr>
<tr><td rowspan="2">日本国籍なし</td><td>短期非居住贈与者（※2）（贈与税のみ）</td><td colspan="4">国内・国外財産ともに課税</td><td>（※5）</td></tr>
<tr><td>非居住被相続人（※3）非居住贈与者（※4）</td><td></td><td></td><td></td><td></td><td></td></tr>
<tr><td colspan="2">上記以外 非居住被相続人／非居住贈与者</td><td></td><td></td><td></td><td colspan="2">国内財産のみに課税</td></tr>
</table>

※1　在留資格を有する者で，相続・贈与前15年以内において日本国内に住所を有していた期間の合計が10年以下であるもの

※2　出国前15年以内において日本国内に住所を有していた期間が合計10年超の外国人で，出国から2年を経過していないもの

※3　相続前10年以内において日本国内に住所を有していた期間中，継続して日本国籍を有していないもの

※4　出国前15年以内において日本国内に住所を有していた期間中，継続して日本国籍を有していないもの（短期非居住贈与者を除く）

※5　贈与時の申告は一旦不要とされますが，下記の場合に該当した時にそれぞれ申告が必要です。

① 短期非居住贈与者が出国後2年以内に国内に住所を戻した場合には，贈与を受けたすべての財産

② 短期非居住贈与者が国内に住所を戻さず出国後2年を経過した場合には，贈与を受けた国内の財産

(2)　平成 29 年度税制改正について

平成 29 年度税制改正以前（平成 29 年 3 月 31 日以前）は相続人等（日本国籍あり）と被相続人等の双方が日本の国外に 5 年を超えて居住していた場合，国外財産は日本の相続税等の課税対象となりませんでした。平成 29 年度税制改正以後（平成 29 年 4 月 1 日以後）は，その 5 年の判定期間が 10 年に延長されることとなりました。これにより相続人等が国外に居住している場合の日本の相続税等の課税対象が広がることとなりました。

一方で，国内に居住がある場合の一時居住者（前期※ 1）の区分も追加されました。日本で一時的に就労しようとする外国人にとって，国外財産が予期せず日本の相続税等の対象になってしまうことが来日の障害となっていました。そこで本税制改正により一定の在留資格で日本に一時的に居住している外国人の場合には，一時居住者として国外財産を相続税等の対象から外すこととしました。

Column　国境を越えた役務の提供に対する消費税の課税の見直し

1．消費税の課税対象となる国内取引

消費税は，事業者が国内において行った資産の譲渡等に対して課されます。日本国内だけでなく国境を越えて国外にわたって行われる取引については，この「国内において行った」ものであるかどうかの判断が重要となります。

国内において行ったかどうか，すなわち「国内取引」に該当するかどうかは，資産の譲渡であれば，原則として，譲渡時にその資産が所在していた場所が国内にあるかどうかにより判断します。また，役務の提供の場合には，原則として，その役務の提供が行われた場所が国内にあるかどうかにより判断します。

2．インターネット等を通じて音楽や映像の配信等を行う取引に係る消費税の取扱い

インターネット等を通じて，音楽や映像の配信等を行う取引については，役務の提供が行われた場所を特定することは困難です。

平成27年9月30日以前の消費税法においては，一定の「国内及び国内以外の地域にわたって行われる役務の提供その他の役務の提供が行われた場所が明らかでないもの」については，「役務の提供を行う者の役務の提供に係る事務所等の所在地」が国内にあるかどうかにより，国内取引の判断を行っていました。したがって，海外の事業者が日本国内向けにインターネット等を通じて上記のサービスを提供した場合には，その海外の事業者の「事務所等の所在地」により判断するため，国内取引に該当せず，消費税の課税対象となりませんでした。一方で日本の事業者が，同じようにインターネット等を通じて音楽や映像の配信等を行った場合には，「事務所等の所在地」が国内であるため，国内取引に該当し消費税の課税対象となっていました。

このように，同じ事業を行っているにも関わらず，国内の事業者と国外の事業者で消費税の課税の有無が異なるため，国内事業者にとって不利な状況でした。

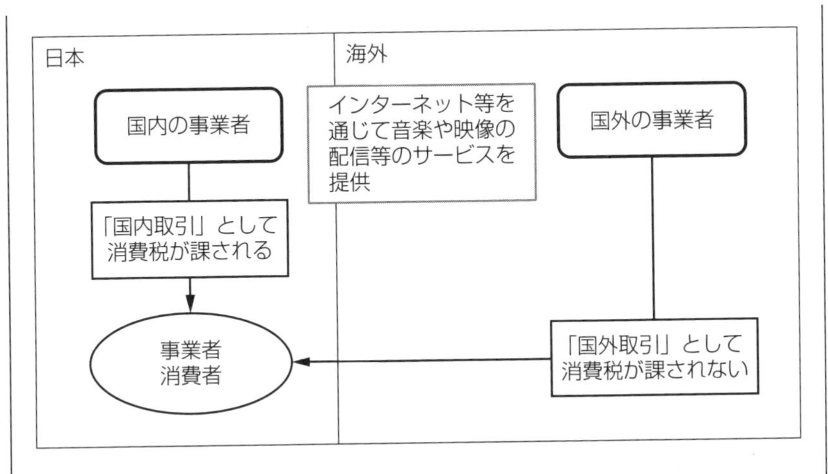

3. 電気通信利用役務の提供に対する消費税の取扱い

(1) 国内取引の判定基準の変更

平成27年10月1日以後の取引については，インターネット等を通じて音楽や映像の配信等を行う取引を「電気通信利用役務の提供」と位置付け，以前の制度では役務の提供を行う者の役務の提供に係る事務所等の所在地により国内取引の判定を行っていたものを，役務の提供を受ける者の住所地等により判定を行うこととなりました。

更に，平成29年1月1日以後の事業者向け電気通信利用役務の提供については，下記の役務提供を受ける者の区分に応じてそれぞれ国内取引の判定を行うこととなりました。

① 国内事業者の国外支店等…「事業者向け電気通信利用役務の提供」（下記，(2)①参照）のうち，国外において行う資産の譲渡等にのみ要するものは，国外取引として判定されます。

② 国外事業者の国内支店等…事業者向け電気通信利用役務の提供うち，国内において行う資産の譲渡等に要するものは，国内取引として判定されます。

(2) 課税方式の変更

上記(1)の変更に伴い，国外事業者が日本国内向けに電気通信利用役務の提供を行う場合に消費税が課される場合における課税方式が変更されました。国外事業者が行う取引が，事業者向けであるか，消費者向けであるかによって，それぞれ次の課税方式が適用されます。

① 事業者向けの取引　…　リバースチャージ方式

国外事業者が日本国内に向けて行う「電気通信利用役務の提供」のうち，「当該役務の性質又は当該役務の提供に係る契約条件等により，当該役務の提供を受ける者が事業者であることが明らかなもの」については，「事業者向け電気通信利用役務の提供」と位置付けられます。これに該当する場合には，その役務の提供を受ける事業者に，消費税の納税義務が転換されます。この方式を，リバースチャージ方式と言います。

なお，リバースチャージ方式が適用される場合には，国外事業者は，役務の提供を受ける国内事業者に対して，消費税の納税義務者となる旨を表示しなければなりません。

○リバースチャージ方式
前提：対価100（税抜）　消費税８

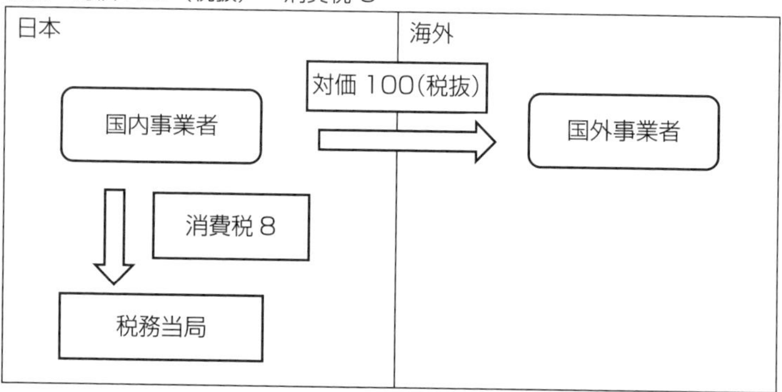

② 消費者向けの取引 … 国外事業者申告納税方式

国外事業者が行う電気通信利用役務の提供のうち，消費者向けのものについては，当該国外事業者が納税義務者となります。この場合には，役務の提供を行う国外事業者が消費税を含む「税込価格」で対価を受領します。そして，当該国外事業者が日本国内の税務署に消費税の申告をし，納税します。

○国外事業者申告納税方式
前提：対価100（税抜）　消費税８

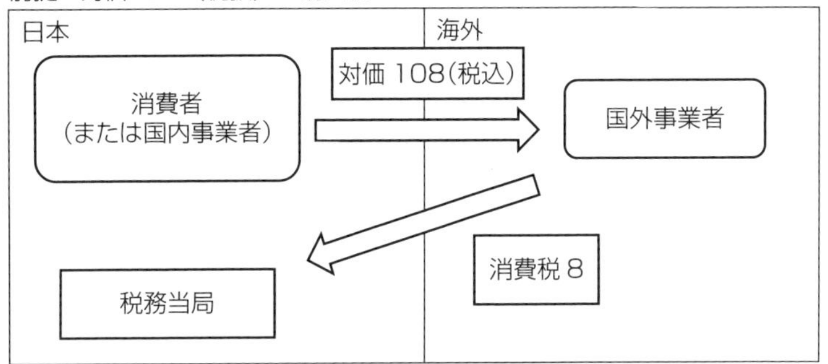

イ　国内事業者の仕入税額控除に係る経過措置

国内事業者が国外事業者に支払う対価に係る消費税については，当分の間，仕入税額控除の対象にはならないとされています。

これは，国外事業者の納税が適正に行われていない状況で国内事業者に仕入れに係る消費税の控除を認めてしまうと，当該取引に係る消費税をどの当事者も納めない事態が生じてしまうことから，適正課税を確保するための経過措置として設けられています。

ただし，国外事業者が次のロの制度による「登録国外事業者」に該当する場合には，当該登録国外事業者の登録番号等が記載された請求書等の保存等を要件として，仕入税額控除の適用が認められます。

ロ　登録国外事業者制度

国外事業者は，次の要件を満たす一定の国外事業者として，納税地の所轄税務署長を経由して国税庁長官に申請書を提出し，国税庁長官の登録を受けることができます。この登録を受けた国外事業者を「登録国外事業者」と呼びます。

（イ）　国内において行う電気通信役務の提供に係る事務所，事業所その他これらに準ずるものの所在地が国内にあること，または消費税に関する税務代理人があること

（ロ）　国税の滞納がないこと及び登録国外事業者の登録取消しから１年を経過していること

ハ　国外登録事業者の公表

国税庁長官は，登録国外事業者について，その氏名または名称や，住所または本店所在地および登録番号等をインターネットを通じて登録後速やかに公表

しなければならないこととされています。

＜監修者紹介＞

税理士法人　山田&パートナーズ

〈国内拠点〉

【東京事務所】〒100-0005　東京都千代田区丸の内１－８－１　丸の内トラストタワーN館８階
TEL：03-6212-1660

【北関東事務所】〒330-0854　埼玉県さいたま市大宮区桜木町１－７－５　ソニックシティビル15階

【横浜事務所】〒220-0004　神奈川県横浜市西区北幸１－４－１　横浜天理ビル４階

【札幌事務所】〒060-0001　北海道札幌市中央区北一条西４－２－２　札幌ノースプラザ８階

【盛岡事務所】〒020-0045　岩手県盛岡市盛岡駅西通２－９－１　マリオス19階

【仙台事務所】〒980-0021　宮城県仙台市青葉区中央１－２－３　仙台マークワン11階

【名古屋事務所】〒450-6641　愛知県名古屋市中村区名駅１－１－３　JRゲートタワー41階

【静岡事務所】〒420-0853　静岡県静岡市葵区追手町１－６　日本生命静岡ビル５階

【大阪事務所】〒541-0044　大阪府大阪市中央区伏見町４－１－１　明治安田生命大阪御堂筋ビル12階

【京都事務所】〒600-8008　京都府京都市下京区四条通烏丸東入長刀鉾町20番地　四条烏丸FTスクエア９階

【神戸事務所】〒651-0086　兵庫県神戸市中央区磯上通８－３－５　明治安田生命神戸ビル11階

【新潟事務所】〒951-8068　新潟県新潟市中央区上大川前通七番町1230-７　ストークビル鏡橋10階

【金沢事務所】〒920-0856　石川県金沢市昭和町16-１　ヴィサージュ９階

【広島事務所】〒730-0013　広島県広島市中区八丁堀14-４　JEI広島八丁堀ビル９階

【高松事務所】〒760-0017　香川県高松市番町１－６－１　高松NKビル14階

【福岡事務所】〒810-0001　福岡県福岡市中央区天神２-14-８　福岡天神センタービル６階

〈海外拠点〉

【シンガポール】51 Anson Road, #12-53 Anson Center, Singapore 079904

【中国（上海）】上海市浦東新区陸家嘴環路1000号　恒生銀行大厦13楼1343室

【ベトナム（ハノイ）】10th Floor, Pacific Place Building, 83B Ly Thuong Kiet, Hoan Kiem, Hanoi, Vietnam

【アメリカ（ロサンゼルス）】1411 W. 190th Street, Suite 370 | Gardena, CA 90248 USA

【アメリカ（ニューヨーク）】265 Sunrise Hwy. #1-351 Rockville Centre, NY 11570 USA

〈沿　革〉

1981年４月　公認会計士・税理士　山田淳一郎事務所設立
1989年７月　FP教育事業を柱とする(株)東京ファイナンシャル・プランナーズを設立
1995年６月　公認会計士・税理士　山田淳一郎事務所を名称変更して山田＆パートナーズ会計事務所となる。
1999年４月　優成監査法人を設立
2000年10月　(株)東京ファイナンシャル・プランナーズ上場
2002年４月　山田＆パートナーズ会計事務所を組織変更して税理士法人山田＆パートナーズとなる。
2005年１月　名古屋事務所開設
2007年１月　関西（現大阪）事務所開設
2010年12月　福岡事務所開設
2012年６月　仙台事務所開設
2012年11月　札幌事務所開設
2014年１月　京都事務所開設
2014年11月　金沢事務所・静岡事務所・広島事務所開設
2015年11月　神戸事務所開設
2016年７月　横浜事務所開設
2016年10月　北関東事務所開設
2017年７月　盛岡事務所開設
2017年11月　新潟事務所開設
2018年４月　高松事務所開設

〈業務概要〉

法人対応，資産税対応で幅広いコンサルティングメニューを揃え，大型・複雑案件に多くの実績がある。法人対応では企業経営・財務戦略の提案に限らず，M&Aや企業組織再編アドバイザリーに強みを発揮する。また，個人の相続や事業承継対応も主軸業務の一つ，相続税申告やその関連業務など一手に請け負う。このほか医療機関向けコンサルティング，国際税務コンサルティング，新公益法人制度サポート業務にも専担部署が対応する。

＜編著者紹介＞

加藤友彦（かとう　ともひこ）
税理士法人山田&パートナーズ　代表社員　税理士
昭和43年東京都出身　早稲田大学卒業
平成9年山田&パートナーズ会計事務所入所
主な著書：共著で『図解　消費税法「超」入門』（税務経理協会），『企業組織再編の会計と税務〔第6版〕』（税務経理協会），『逐条解説　組織再編税制の実務』（中央経済社），『病医院の相続・承継・合併の税務Q & A〔第6版〕』（中央経済社），『Q & A医療機関の組織変更の実務と税務〔第3版〕』（財経詳報社），『医療法人制度の実務Q & A』（中央経済社）など

＜執筆者一覧＞（50音順）
内山幸久，土肥琴美，三浦康太，森口直樹，山田順子

著者との契約により検印省略

平成28年1月10日　初版発行
平成30年12月20日　第2版発行

図解　国際税務「超」入門〔第2版〕

監修者	税理士法人山田&パートナーズ
編著者	加藤友彦
発行者	大坪克行
印刷所	美研プリンティング株式会社
製本所	牧製本印刷株式会社

発行所　〒161-0033　東京都新宿区下落合2丁目5番13号　株式会社　**税務経理協会**
振替　00190-2-187408　電話（03）3953-3301（編集部）
FAX（03）3565-3391　（03）3953-3325（営業部）
URL　http://www.zeikei.co.jp/
乱丁・落丁の場合は，お取替えいたします。

ISBN978－4－419－06593－5　C3032